Amos Daragon, la grande croisade

D1432877

Dans la série Amos Daragon :

Amos Daragon, porteur de masques, roman, 2003.
Amos Daragon, la clé de Braha, roman, 2003.
Amos Daragon, le crépuscule des dieux, roman,
2003.
Amos Daragon, la malédiction de Freyja,
roman, 2003.
Amos Daragon, la tour d'El-Bab, roman, 2003.
Amos Daragon, la colère d'Enki, roman, 2004.
Amos Daragon, voyage aux Enfers, roman, 2004.
*Amos Daragon, Al-Qatrum, les territoires de
l'ombre*, hors série, 2004.
Amos Daragon, la cité de Pégase, roman, 2005.
Amos Daragon, la toison d'or, roman, 2005.
Amos Daragon, porteur de masques, manga, 2005.
Amos Daragon, le masque de l'éther, roman, 2006.
Amos Daragon, la fin des dieux, roman, 2006.
Amos Daragon, la clé de Braha, manga, 2006.

Romans pour adultes chez le même éditeur :

Pourquoi j'ai tué mon père, roman, 2002.
Marmotte, roman, réédition 2002 ; première
édition, 1998, Éditions des Glanures.
Mon frère de la planète des fruits, roman, 2001.

BRYAN PERRO

Amos Daragon,
la grande croisade

Les Éditions des Intouchables bénéficient du soutien financier de la SODEC, du Programme de crédits d'impôt du gouvernement du Québec et sont inscrites au Programme de subvention globale du Conseil des Arts du Canada.

Nous reconnaissons l'aide financière du gouvernement du Canada par l'entremise du Programme d'aide au développement de l'industrie de l'édition (PADIÉ) pour nos activités d'édition.

LES ÉDITIONS DES INTOUCHABLES
816, rue Rachel Est
Montréal, Québec
H2J 2H6
Téléphone : (514) 526-0770
Télécopieur : (514) 529-7780
www.lesintouchables.com

DISTRIBUTION : PROLOGUE
1650, boulevard Lionel-Bertrand
Boisbriand, Québec
J7H 1N7
Téléphone : (450) 434-0306
Télécopieur : (450) 434-2627

Impression : Marquis Imprimeur
Infographie et maquette de la couverture : Benoît Desroches
Illustration de la couverture : Jacques Lamontagne
Logo : François Vaillancourt

Dépôt légal : 2005
Bibliothèque et Archives nationales du Québec
Bibliothèque nationale du Canada

ISBN 2-89549-156-9

*Je ne suis pas là pour t'indiquer le chemin,
je suis là pour faire la route avec toi.*

SARTIGAN,
Amos Daragon, la malédiction de Freyja

Prologue

Peu de jeux sont aussi représentatifs de la complexité des relations politiques entre les humains que le Chaturanga. Il s'agit d'un résumé des différentes stratégies qu'il faut utiliser pour abattre un empereur et s'emparer de ses armées. Comme à la guerre, le jeu fait appel aux facultés d'analyse et de synthèse des joueurs. Chaque mouvement exige un jugement éclairé se référant à un plan d'ensemble préétabli. Un bon joueur doit posséder la faculté de réagir vite aux différents mouvements des troupes adverses et de prévoir leurs coups à l'avance. Or, il arrive parfois que les meilleurs joueurs cèdent sous l'harassante pression mentale que provoque ce jeu et qu'ils suppléent alors à la logique par l'intuition. Ceux-là remportent souvent d'étonnantes victoires, car chacun sait que la partie n'est jamais terminée avant la chute des dernières pièces maîtresses.

À travers les âges, le Chaturanga a voyagé de pays en pays en s'adaptant aux mœurs de ses joueurs. Ainsi, les hommes du désert l'ont appelé le Shantranj, alors que ceux de l'extrême Est l'ont nommé Shogi. Sous la domination culturelle des chevaliers de l'Ouest, il est devenu le jeu d'échecs et se compose aujourd'hui de pièces évoquant les figures des rois, des reines, des fous de la cour, des tours de garde, des armées de cavaliers ainsi que de fantassins incarnés par de vulgaires pions. Le plateau du jeu se compose de soixante-quatre cases alternativement blanches et noires; deux couleurs opposées rappelant le jour et la nuit, le bien et le mal ou encore la vie et la mort.

Plusieurs légendes affirment que les dieux agissent comme des joueurs d'échecs avec leurs créations et qu'ils s'amusent, sur le grand échiquier du monde, à s'affronter les uns les autres par l'entremise des humains et des humanoïdes. C'est ainsi qu'ils trompent leur ennui et assurent leur domination sur les vivants. Mais il existe aussi une autre légende, celle qui parle de la grande joute d'un mortel contre tous les dieux. Il s'agit d'une histoire rocambolesque qui prédit, contre toute attente, la victoire d'un jeune homme sur les puissances divines. Toutefois, chacun sait que, sur le grand échiquier, personne n'est plus malin qu'un dieu, sauf peut-être... un porteur de masques.

1
Les noirs et les blancs

LE ROI NOIR

Lorsqu'il ouvrit les yeux, Amos ressentit aussitôt une extrême faiblesse. Il voulut se redresser, mais n'y arriva pas. Ses bras et ses jambes engourdis ne répondaient pas.

Le garçon bougea difficilement la tête pour essayer de reconnaître l'endroit où il se trouvait, quand son regard croisa celui d'une toute petite fée qui volait juste au-dessus de lui. La minuscule créature se posa sur son visage, souleva à deux mains l'une de ses paupières, puis observa attentivement les dessins de son iris. Elle recommença le même manège pour l'autre œil et parut satisfaite de son examen. Amos aurait bien voulu lui demander qui elle était, mais il était incapable de remuer les lèvres. Prononcer un seul mot l'aurait replongé dans un sommeil profond, tellement il se sentait à bout de forces.

Sans une parole, la fée lui fit un grand sourire et le quitta dans un frémissement d'ailes.

Amos arriva enfin à se rappeler ce qui lui était arrivé. Lentement, les images de sa dernière aventure lui revinrent une à une. Il avait quitté Berrion pour l'abbaye de Portbo, puis s'était lancé à la poursuite de Barthélémy et de la toison d'or. En compagnie de Béorf, de Lolya et de Médousa, il avait combattu les harpies de l'île des Arkhous pour ensuite continuer son chemin, dans la flagolfière, jusqu'à l'île du grand lac Ixion. C'est là-bas, en affrontant Barthélémy, qu'il était tombé dans son piège et s'était endormi sous l'effet d'une musique enchantée. Le garçon émergeait aujourd'hui de sa léthargie.

– Sois tranquille, brave Amos…, déclara une voix douce et mélodieuse tout près de lui. Il est normal que ton corps réagisse ainsi à nos traitements. Tu retrouveras bientôt la force nécessaire pour te mouvoir.

Amos voulut voir qui s'adressait ainsi à lui, mais l'effort qu'il devait faire pour tourner la tête lui parut encore une fois surhumain. Il ferma les yeux puis sentit qu'on lui caressait doucement les cheveux.

– J'espère que tu te souviens de la reine du bois de Tarkasis ? lui demanda la voix.

« Gwenfadrille… C'est Gwenfadrille », pensa le garçon en souriant.

– Je vois que tu viens de me reconnaître, poursuivit la fée. C'est toujours une grande joie de croiser ton chemin, très cher Amos. J'ai beaucoup pensé à toi et j'avais très hâte de te revoir.

S'il avait pu parler, le porteur de masques lui aurait dit à quel point il était heureux lui aussi de la voir.

— Tu as été victime du charme de la flûte du roi des faunes, lui expliqua la reine, mais les effets de la magie s'estompent lentement. Je sais que tu peux m'entendre et que tu dois être impatient d'avoir des nouvelles de tes amis. Eh bien, sache qu'ils ont subi le même sort que toi et qu'ils vont aussi très bien. Tout comme toi, ils se remettent lentement sur pied. Tu remercieras ton ami Flag Martan Mac Heklagroen, car, sans lui, vous seriez tous morts.

Amos, désirant avoir plus de détails, essaya de parler, mais il ne réussit qu'à émettre un râlement.

— Ne fais pas d'efforts! l'avertit la reine. À l'exception de ton cerveau, tout ton corps était dans un état de rigidité cadavérique. Toi et tes amis êtes restés quelques semaines inertes, étendus dans l'herbe. Tu as beaucoup maigri et, très bientôt, ton estomac criera famine. Rappelle-toi alors de manger lentement et de ne boire que de petites gorgées à la fois. Justement, Béorf a perdu beaucoup de poids et sa nouvelle taille lui va à merveille. Seule ta copine la gorgone n'a pas souffert de son régime forcé, car ses cheveux-serpents l'ont nourrie durant son sommeil. Vraiment, cette petite possède un bien étrange système digestif qui est directement lié à ses cheveux.

– Commuuuh…

– Je t'ai déjà dit de te taire! Chuuuut!… Reste calme, je t'explique… C'est ton ami le dragon qui vous a retrouvés. Comme il était sans nouvelles de toi depuis un bon moment et que ton dernier message lui disait que vous étiez en route pour cette île, il a cru bon de venir patrouiller dans le secteur. C'est là qu'il a repéré le message de détresse de Flag, inscrit en grosses lettres sur le sable de la plage. De là, comme vous étiez plongés dans un coma d'extase, Flag et Maelström ont décidé de s'adresser à moi par l'entremise des fées de l'île.

– Hum…

– Mes sœurs ont travaillé d'arrache-pied pour vous sortir de votre catalepsie et, comme tu vois, elles y sont parvenues. Par contre, nous avons failli perdre Lolya. Son cœur s'est arrêté quelques instants, mais, par bonheur, il s'est remis en marche. On aurait dit qu'une force supérieure aux pouvoirs des fées avait tout à coup pris la relève… Je n'y comprends encore rien…

Amos présuma alors que la dague de Baal avait sauvé la vie de son amie et se félicita de lui avoir confié l'arme. Il y avait dans le poignard du démon une puissance magique que Lolya arriverait bien, un jour, à découvrir.

– Bon... assez de bavardages pour aujourd'hui, fit Gwenfadrille en caressant une dernière fois la tête du garçon. Tu dois récupérer le plus possible, car tu auras beaucoup de boulot une fois sur pied. De grands bouleversements se préparent et tu devras être au sommet de ta forme pour y faire face. Dors bien, nous veillons sur toi...

Avant de glisser dans le sommeil, Amos réfléchit à ce que lui avait confié Arkillon à l'abbaye de Portbo: «Un chevalier du nom de Barthélémy cherche actuellement à s'emparer d'une arme divine. Il s'agit de la toison d'or qui rend invincible quiconque s'en couvre les épaules. Barthélémy est manipulé par le dieu Seth qui, par l'intermédiaire d'une déesse mineure appelée Zaria-Zarenitsa, le garde complètement ensorcelé. Seth n'a qu'un seul but: il désire semer le chaos dans le monde des vivants afin de renforcer le pouvoir des dieux sur les hommes. Il se servira de Barthélémy pour déclencher une grande croisade durant laquelle lui et ses troupes tenteront d'éliminer tous les humanoïdes qui peuplent le monde.

De l'avis du chevalier, ces êtres représentent le mal et ils doivent être éliminés. Tu dois empêcher Barthélémy d'utiliser la toison d'or et, si tu la trouves avant lui, t'assurer de la détruire. Tu dois réussir dans cette mission, sinon tes chances de rétablir l'équilibre du monde seront grandement compromises.»

Malheureusement, Amos avait échoué.

***

LE ROI BLANC

Junos était assis sur son trône et piaffait d'impatience en rageant contre Barthélémy.

– Quel usurpateur! lança le seigneur de Berrion en empoignant le pommeau de son épée. Je lui trancherai la gorge même si cela provoque la guerre!

En effet, au cours du grand conseil réunissant les quinze seigneurs des quinze territoires composant le royaume, Barthélémy s'était emparé du trône grâce aux pouvoirs surnaturels de la toison d'or. Seul Junos, protégé par sa sagesse, avait vu clair dans le jeu de son rival et ne s'était pas laissé duper par le pelage sacré. Mais, maintenant, c'était lui qui passait pour fou auprès des autres seigneurs, et ses refus systématiques de joindre l'alliance ne faisaient qu'alimenter les rumeurs en condamnant Berrion à l'exclusion.

– Quel traître ! hurla encore Junos. Et c'est ainsi qu'il me remercie d'avoir sauvé Bratel-la-Grande des gorgones ! Je n'arrive pas à le croire… C'est… c'est le monde à l'envers ! J'aurai dû écouter Sartigan… Le vieux bouc m'avait bien prévenu de surveiller mes arrières, mais j'ai été trop naïf ! Seulement, aujourd'hui, les choses vont changer… et radicalement !

– Euh… désolé, seigneur, fit discrètement un page à proximité du trône. Je vous rappelle que Son Excellence le roi Barthélémy attend dans l'antichambre que vous le receviez…

– ALORS QU'IL ATTENDE ENCORE ! JE NE SUIS PAS ENCORE PRÊT ! explosa Junos en brandissant son épée.

– Rangez cette arme, vieil homme ! lança une voix tonitruante. À votre âge, vous pourriez vous blesser !

C'était Sa Majesté le roi Barthélémy Ier qui, après avoir pénétré dans la pièce, refermait la porte derrière lui. D'une inquiétante beauté, l'ancien chevalier de Bratel-la-Grande paraissait avoir gagné une tête en hauteur et une bonne dizaine de kilos de muscles. Son armure ambrée était finement ciselée de motifs rappelant des feuilles de chêne, alors que sur ses épaules reposait une longue cape de poils dorés.

– Que se passe-t-il donc, seigneur Junos? dit le roi qui n'était accompagné ni de ses gardes ni d'aucune autre escorte. Vous ne voulez plus recevoir vos amis?

– Vous n'êtes pas mon ami, le corrigea Junos en faisant signe au page de déguerpir. D'ailleurs, vous ne l'avez jamais été!

Barthélémy attendit que le serviteur se soit retiré avant de demander:

– Sommes-nous seuls?

– Oui, nous le sommes…, répondit Junos en s'approchant de quelques pas de son ennemi.

– Et pourquoi donc? fit Barthélémy, amusé. Je vous croyais en manque de témoins pour appuyer votre théorie du complot.

– Ne me prenez pas pour un idiot! s'écria le seigneur de Berrion. Je ne sais pas comment vous faites, mais votre façon de manipuler les gens est remarquable. Tous les seigneurs sont tombés dans votre piège lors de l'élection du nouveau souverain à Grands-Vallons! Tous, mais pas moi!

– Junos… mon cher Junos, soupira Barthélémy, mais vous perdez la tête! Je suis le même Barthélémy que vous avez jadis connu à Bratel-la-Grande. Il n'y a pas de complot, pas de manipulation et la toison d'or est un mythe, elle n'existe même pas!

– Mais je n'ai jamais parlé de la toison d'or!

Le roi eut un instant de panique. Trop habitué qu'il était à manipuler les gens à sa guise, il avait oublié que le pouvoir de suggestion de la toison n'agissait pas sur Junos. Sans réfléchir, il venait de dévoiler la source de son pouvoir…

– Ainsi, c'est donc cela! s'exclama Junos en souriant. C'est la toison d'or qui vous accorde autant de puissance… Celle-là même qui repose sur vos épaules…

– D'accord, jouons cartes sur table, déclara Barthélémy. Il s'agit bien du pelage des dieux dont parlent les légendes et, grâce à lui, je me prépare à changer la face du monde. Je suis venu vous proposer un ultimatum, vieux singe. Je vous conseille d'ouvrir grand vos oreilles, car je ne répéterai pas deux fois. Joignez immédiatement mes rangs, sans quoi je vous fais enfermer pour démence… Je prendrai ensuite le contrôle de Berrion, car j'ai trop besoin de vos hommes pour mener à bien ma grande croisade contre le mal. Par contre, en ce qui vous concerne, vous faites malheureusement obstacle à la grande unité que je cherche à créer.

– VOUS NE M'AUREZ PAS SI FACILE-MENT! vociféra Junos en lui passant son épée à travers le ventre. C'EST TERMINÉ POUR VOUS!

À la grande stupeur du seigneur de Berrion, Barthélémy retira calmement l'arme de son corps, et la plaie se referma presque instantanément.

– Mais… mais par quel sortilège ?! balbutia Junos qui n'en croyait pas ses yeux.

– Pauvre bougre ! lança le roi en rigolant. Vous ne saviez pas que la toison d'or accorde l'invulnérabilité à quiconque la porte ?

– C'est donc vrai… Je… je…

– Eh oui, comme dans les légendes ! Sachez aussi qu'elle accorde ce même pouvoir à mes armées ! Joignez-vous donc à moi, Junos. Notre victoire sur le mal est assurée…

– Non… car votre but n'est pas de combattre le mal et vous le savez très bien ! Vous désirez éliminer de ce monde les êtres qui sont différents de vous et toutes les créatures que vous n'arrivez pas à assujettir ! Vous voulez dicter votre propre loi et imposer vos valeurs à tous ! Mais tant que je serai seigneur de Berrion, mes hommes ne vous suivront pas !

– Par décret royal, je vous déclare inapte à gouverner Berrion et vous condamne, vous et votre épouse, au cachot. Vous n'êtes plus le seigneur de ce territoire et votre remplaçant attend derrière la porte.

– JE VOUS INTERDIS DE… DE…

Un coup de poing de Barthélémy d'une extraordinaire puissance fit taire Junos qui s'affaissa sur le sol et demeura immobile.

***

DEUX REINES POUR LES NOIRS

Assises sur la plage, Lolya et Médousa regardaient le grand lac. Avec l'aide des fées, les deux amies avaient émergé du coma d'extase provoqué par la flûte du roi des faunes. Délivrées de leur rigidité musculaire depuis quelques heures, elles avaient voulu faire une balade tonifiante, mais elles s'étaient rapidement épuisées. À bout de souffle, la nécromancienne et la gorgone avaient alors décidé de se reposer au bord du lac.

– Comment te sens-tu maintenant? demanda Médousa à son amie.

– Comme si mes jambes étaient en béton!

– Moi, j'ai l'impression d'avoir les os tout rouillés…

– Ha! ha! ha! Bonne comparaison! fit Lolya en riant. J'ai aussi la sensation que mes jointures manquent d'huile.

– J'espère que les séquelles ne seront pas permanentes, s'inquiéta tout à coup la gorgone. Tu imagines?

– Mais non, assura la jeune Noire. Gwenfadrille nous a promis une guérison complète et j'ai confiance en elle.

– Tu sais que tu as failli mourir?

– Oui, c'est ce que les fées m'ont raconté. Il paraît que mon cœur s'est arrêté, puis qu'il s'est miraculeusement remis en marche... Elles ignorent ce qui a provoqué cela!

– Je suis contente que tu ne sois pas... Je veux dire que..., bafouilla maladroitement Médousa. Tu comprends, je... je n'aurais pas supporté de te perdre... Tu es ma meilleure amie.

– Et moi, je n'aurais pas voulu t'abandonner en te laissant avec Amos et Béorf! répondit Lolya en pouffant. Tu t'imagines, seule avec ces deux-là?

– Le cauchemar! lança la gorgone dans un éclat de rire. J'aurais été obligée d'endurer leurs blagues stupides à longueur de journée...

– Et de les entendre gémir au moindre prétexte! C'est vrai qu'ils peuvent être geignards parfois!

Les deux amies se remémorèrent alors avec gaieté les moments où Amos et Béorf avaient été particulièrement puériles. Sans tomber dans la méchanceté, les filles rigolèrent bien en imitant certaines attitudes des garçons comme, entre autres, la lenteur de Béorf à réagir devant un événement dramatique ou encore l'attitude de confiance inébranlable qu'adoptait Amos face au danger. Ce n'est qu'après un long fou rire d'une bonne dizaine de minutes qu'elles redevinrent sérieuses.

– J'ai peur…, avoua Médousa après un moment de silence.

– Qu'est-ce qui t'effraie ? demanda Lolya qui redoutait la réponse.

– J'ai peur de ce qui s'en vient, je crains le futur…

– Moi aussi, j'y pense beaucoup…

– Maintenant que Barthélémy possède la toison d'or, nous sommes à sa merci et personne ne pourra l'arrêter, même pas Amos, j'en suis certaine ! Nous avons échoué dans notre mission et, à cause de cet échec, des milliers d'êtres vivants souffriront…

– Médousa, nous devons tout de même demeurer optimistes et penser que nous pouvons encore faire quelque chose, dit Lolya sans pourtant trop y croire.

– Et comment pourrions-nous y arriver ?

– Nous demanderons à l'avenir de nous aider ! déclara joyeusement la nécromancienne en détachant une petite bourse de sa ceinture.

– Mais oui ! se rappela Médousa. Les osselets !

– Il est temps de frapper le sable !

« Frapper le sable » était l'expression de Lolya pour désigner le rituel magique des osselets dogons. Ce rituel consistait à invoquer la déesse primaire en jetant par terre huit petits os, chacun marqué d'une figure différente. Les gravures représentaient un couteau, un arbre, une plume, une pierre, un animal, un œil, une maison et un singe. C'est par la combinaison des différentes figures et leur position sur le sol que Lolya pouvait prédire l'avenir.

– Tu te rappelles comment faire ? demanda-t-elle en présentant les osselets à Médousa.

– Oui, bien sûr ! Mentalement, je pose une question aux osselets en les remuant doucement entre mes mains et je les lance sur le sol…

– C'est ça, confirma la nécromancienne. Ensuite, j'interpréterai les signes ! Vas-y, je suis prête !

– D'accord ! répondit Médousa, excitée par le jeu. Frappons le sable !

La gorgone ferma les yeux, porta ses mains à sa bouche et chuchota quelques phrases à l'intention des petits os. Puis elle les laissa ensuite tomber sur le sol.

– Hum…, fit Lolya en observant la position des pièces. C'est l'animal et la plume qui ressortent davantage. Cela signifie que tu devras posséder l'esprit et la fougue de la bête pour te sortir de situations dangereuses. Je vois aussi que tu seras séparée de tes amis… Tu devras prendre des décisions cruciales qui auront une influence sur bien des gens… non… qui auront une influence sur la vie de beaucoup de…

– Arrête! l'interrompit Médousa. Ça va, tu as amplement répondu à ma question… Je ne veux pas en savoir plus.

– Bien…

– À toi maintenant! Lance les osselets…

– Non, pas moi… C'est beaucoup trop difficile d'interpréter les signes de l'avenir pour soi-même.

– Allez, juste pour voir! insista Médousa en lui plaçant les osselets au creux de la main.

Par inadvertance, deux des pièces échappèrent à Lolya et tombèrent sur le sol.

– Ne les ramasse pas! dit spontanément Lolya. C'est un signe… Toi qui voulais que je participe à mon propre jeu, eh bien, tu es servie! Voilà deux pièces qui devraient révéler quelque chose d'important.

Médousa se pencha sur les osselets et souffla délicatement sur la fine couche de sable qui avait recouvert les dessins.

– Il s'agit… euh… du couteau et de la pierre! Regarde, les deux osselets se touchent… Mais… qu'est-ce que ça veut dire?!

27

Lolya parut embarrassée et demeura silencieuse.

– C'est un mauvais présage?

– J'ignore comment l'interpréter, répondit la jeune Noire avec un air absent. Les osselets prétendent que... que... que je suis morte...

***

UNE REINE POUR LES BLANCS

Après sa visite à Berrion pendant laquelle il avait fait emprisonner Junos et Frilla, Barthélémy retourna avec ses hommes à Bratel-la-Grande. Le peuple acclama son retour et forma un cortège digne d'un empereur. La marche s'arrêta sur la place publique où le roi s'adressa à son peuple.

– Mes amis! Aujourd'hui est un grand jour, car nos frères de Berrion ont décidé de se joindre à notre alliance pour notre combat contre le mal!

La foule applaudit à tout rompre. Des cris et des sifflements de joie retentirent de toutes parts.

– Le vénérable seigneur Junos, vu son âge avancé, a décidé de prendre une retraite bien méritée dans sa résidence des montagnes de l'Est et m'a gracieusement offert le gouvernement de ses terres!

Des « bravos » et des « hourras » se firent entendre à travers la foule en délire.

– J'y ai donc placé un intendant dans le but d'unir prochainement Berrion à Bratel-la-Grande pour en faire le plus grand territoire du royaume des quinze. En fait, je devrais plutôt dire « le royaume des quatorze » maintenant !

Le peuple acclama de nouveau son roi.

– En ces temps obscurs où les humains sont de plus en plus menacés par le nombre grandissant d'humanoïdes et de races impures qui lentement et sournoisement entourent nos frontières, nous devons, maintenant plus que jamais, unir nos forces afin de frapper les premiers ! Il en va de l'avenir de nos enfants !

Comme un engrenage bien huilé, le peuple approuva encore les paroles de Barthélémy dans un bruyant éclat de joie. Les habitants de Bratel-la-Grande semblaient hypnotisés par leur roi et ils buvaient ses paroles comme des assoiffés dans le désert. Ils écoutaient avidement chacun de ses mots et chacune de ses intonations sans perdre une syllabe de son discours. Les mots que Barthélémy prononçait exacerbaient leurs émotions sans jamais atteindre leur raison.

– Très bientôt, nous partirons en croisade contre les suppôts du mal et nous épurerons le continent de tous les humanoïdes qui y répandent le chaos et l'anarchie! Les humains ont le droit de vivre en sécurité et, aussi longtemps que la menace humanoïde perdurera, personne ne sera en sécurité! Rappelez-vous ce que les gorgones ont fait à cette ville! Rappelez-vous leur terrible pouvoir de pétrification et osez dire que ces êtres démoniaques doivent être épargnés!

Il y eut alors un murmure d'assentiment dans l'assistance.

— Maintenant, croyez-en mon expérience, il y a PIRE ENCORE QUE LES GORGONES! ET TOUS CES ÊTRES INFÂMES SONT À NOS PORTES!

Avec ce mensonge, Barthélémy venait d'installer la crainte dans le cœur des habitants de Bratel-la-Grande. Comme une graine que l'on met en terre afin qu'elle croisse et donne des fruits, le roi avait préparé le terrain afin d'y semer le germe de la peur. Grâce à ce sentiment, il pouvait justifier les pires horreurs, les pires accusations et les plus terribles infamies.

— Mes amis, dit-il en guise de conclusion, je ferai tout ce qui est en mon pouvoir pour vaincre la menace qui plane et j'engagerai ma vie et celles de tous les chevaliers du grand royaume que je représente pour l'avenir de la race supérieure: notre race!

Lorsqu'on déclare et qu'on livre une guerre, ce n'est pas le droit qui compte, mais la victoire !

Subjugué par son charisme, le peuple hurla sa joie à son sauveur. Barthélémy se retira dans sa forteresse et attendit patiemment jusqu'au matin que Zaria-Zarenitsa lui apparaisse avec les premiers rayons du soleil.

— Tu as été à la hauteur, lança-t-elle d'emblée en se matérialisant dans la pièce. Le peuple de Bratel-la-Grande est derrière toi et, quoi que tu fasses, il t'appuiera inconditionnellement.

— Je sais, je sais, répondit le roi avec orgueil, je les tiens dans le creux de ma main.

— N'oublie pas qu'il te faudra aussi convaincre la population des autres territoires… As-tu un plan ?

— Mon charisme seul saura les séduire ! se flatta Barthélémy.

— Attention, la toison d'or a ses limites et ton pouvoir de persuasion en dépend, le prévint la déesse. Tu dois devancer une éventuelle scission au sein de tes royaumes et asseoir définitivement ton pouvoir sur toutes les terres de chevaliers.

— Mais… ne suis-je pas le roi ? Mon pouvoir est établi et les seigneurs de toutes les contrées m'obéissent !

– Faux! Plusieurs seigneurs doutent du bien-fondé de ta croisade et hésitent à adhérer complètement à notre cause! Loin de la toison d'or, ils retrouvent leur jugement et hésitent à partir au combat.

– Bon, alors que proposes-tu pour régler le problème? demanda Barthélémy d'un ton bourru.

– Tu dois te débarrasser d'eux et nommer à leur place de loyaux seigneurs dont la fidélité t'est déjà acquise. Beaucoup de tes hommes attendent que tu les récompenses pour leur dévouement; ils te seront éternellement reconnaissants si tu leur confies un poste de pouvoir. Tu t'es très habilement débarrassé de Junos comme je te l'avais conseillé et cela t'a donné le contrôle sur Berrion. Agis de même pour tous les autres royaumes et tu deviendras l'unique régent!

– Hum…, fit le souverain, redevenu souriant. Tes précieux conseils m'enchantent!

– Je dois maintenant te laisser, Barthélémy, conclut Zaria-Zarenitsa. Pense à ce que je t'ai proposé et nous en reparlerons bientôt…

La divinité s'évapora dans un rayon de soleil.

Barthélémy sonna ses domestiques et ordonna qu'on le vête. Puis il exigea que l'on réveille son secrétaire afin de lui dicter une lettre.

Tout ébouriffé et à moitié vêtu, le scribe entra dans la pièce et installa son écritoire portative.

– Mes oreilles sont grandes ouvertes, dit-il. Parlez, ô mon roi, je vous écoute !

– Nous allons faire parvenir une invitation à tous les seigneurs du grand royaume, pour un grand bal que nous donnerons ici à Bratel-la-Grande.

– Il y aura un bal à Bratel-la-Grande ! s'exclama l'homme, réjoui. Je suis content d'être le premier à l'apprendre !

– Oui, mon cher secrétaire, répondit le souverain en ricanant, il y aura un bal et la danse sera macabre !

***

DEUX FOUS CHEZ LES NOIRS

Sartigan se présenta à la porte de la petite prison de Berrion. Les gardiens qui l'accueil-lirent avaient la mine basse et le regard vide.

– Bonjour, Sartigan, le salua l'un d'entre eux. Que puis-je faire pour vous ?

– Je viens chercher Junos, répondit le vieil homme.

– Mais… mais… je n'ai pas l'autorisation de laisser partir notre sei… notre ancien seigneur. Les ordres sont clairs…

– Vous savez comme moi que Junos et Frilla sont injustement emprisonnés et qu'ils ne méritent pas de croupir dans une cellule !

– Oui… nous… nous le savons tous, mais… mais j'ai des ordres à respecter… Le roi Barthélémy Ier a demandé que…

– Dites-moi, soldat, qui vous a fait chevalier ? Barthélémy ou Junos ?

– C'est à Junos que je dois ma position ! D'ailleurs, tous les hommes dans cette salle lui ont prêté serment !

– Alors, pourquoi l'homme à qui vous avez juré fidélité est-il encore derrière les barreaux ?

Les chevaliers se regardèrent tous, mais aucun ne put répondre.

– Vous avez un problème, messieurs, continua Sartigan, un grave problème ! Moi, je ne sers pas Barthélémy ni Junos, je ne sers qu'une maîtresse qui se nomme « vérité ». J'ai donc l'intention de prouver que Junos n'est pas réellement fou et qu'il est victime des manipulations de votre nouveau roi. Et, pour cela, je vais entrer dans cette prison et libérer, au nom de la vérité, votre VÉRITABLE seigneur. Que ceux qui désirent m'en empêcher se montrent immédiatement…

Chacun des hommes présents dans la salle des gardes connaissait l'habileté du vieillard au combat et personne n'osa bouger.

– Maintenant, j'aimerais qu'on me remette les clés, dit le maître en tendant la main.

– Et, après, où comptez-vous vous rendre ? demanda un des chevaliers.

– Je compte aller à Upsgran, en territoire viking, répondit Sartigan. J'y ai des amis qui nous recevront sans hésiter.

– Et si des chevaliers de Berrion décidaient de vous accompagner, lança un autre en empoignant les clés, seraient-ils également les bienvenus chez eux ?

– Mes amis accueilleraient toute l'armée de Junos si elle nous suivait ! affirma le vieillard avec un grand sourire. Mais, pour cela, il faudrait que les chevaliers du royaume soient assez intelligents pour distinguer la vérité du mensonge, la grandeur de la médiocrité.

– Et si les chevaliers du royaume libéraient eux-mêmes celui qu'ils considèrent comme leur véritable seigneur et lançaient par-dessus les murs l'intendant de Barthélémy, ne serait-ce pas là une démonstration d'intelligence ?

– Tout à fait, oui…, affirma le maître, toujours souriant. De plus, il s'agirait d'une action digne d'un serment de fidélité…

– Eh bien, Sartigan, décida le chevalier en agitant les clés, vous n'aurez pas à descendre au cachot, je m'en charge moi-même !

Dans la pièce, les hommes étaient fébriles à l'idée de cette insurrection. Lorsque Junos et Frilla apparurent dans l'encadrement de la porte, ils s'agenouillèrent devant eux.

– Que se passe-t-il? demanda Junos, inquiet. Pourquoi nous a-t-on libérés?

– Je crois que c'est assez clair, fit Sartigan. Il semble que ces hommes n'aient pas envie de laisser pourrir leur maître dans un cachot et qu'ils soient décidés à vous remettre sur le trône de Berrion!

– Pardonnez notre égarement, seigneur Junos, dit un chevalier. Nous ne servons qu'un seigneur et c'est à vous que nous devons notre fidélité.

– Cela signifie la guerre au roi Barthélémy, déclara Junos. Mais nous avons peu de chances de gagner une telle bataille. Ses troupes seront cent fois supérieures aux nôtres!

– La population est de votre côté, assura Sartigan. Vos hommes se battront pour vous jusqu'à leur dernier souffle.

– Alors, c'est ce que nous allons voir! lança Junos en invitant Frilla à le suivre.

Le couple sortit dans la rue, bras dessus, bras dessous, et se dirigea vers le château. Aussitôt, des dizaines d'enfants se mirent à les suivre en chantant et en tapant des mains. À leur passage, les marchands abandonnèrent les étals, et les boutiques se vidèrent des clients. Une à une, des familles entières vinrent grossir les rangs du cortège improvisé et, bientôt, c'est toute la ville qui se présenta devant les grandes portes du donjon. Les gardes n'opposèrent aucune résistance et, au contraire, cédèrent avec joie le passage à leur seigneur. Junos déboucha dans la salle du trône où son successeur planifiait l'invasion des terres du Nord avec quelques chevaliers vétérans.

– Que se passe-t-il donc ici? hurla l'intendant lorsque les portes de la pièce s'ouvrirent brusquement.

– C'est moi, le seigneur de Berrion! répliqua Junos. Et je me demande ce que vous faites chez moi!

– Tuez-moi cet homme immédiatement! cria le remplaçant à qui voulait l'entendre.

Les hommes dégainèrent leur épée, les déposèrent aux pieds de Junos, puis allèrent se ranger derrière lui.

– Notre roi, le grand Barthélémy, sera très mécontent de cette insurrection!

– Vous transmettrez le message suivant au souverain du royaume des quinze: je reprends le pouvoir à Berrion et je me retire de l'alliance des chevaliers.

– Vous ne pouvez pas…

– Chez moi, je fais ce qui me plaît!

– Vous cherchez la guerre, c'est cela ?

– Pas du tout, c'est la paix que nous voulons ! Et nous allons l'avoir ! Écoutez tous : je propose que l'intendant subisse le supplice du miel et des plumes !

Un immense cri de joie retentit et le peuple se précipita sur l'intendant. Le pauvre homme essaya de se défendre, mais il fut vite porté par la foule à l'extérieur du donjon.

– Je vous remercie, Sartigan, dit Junos. Grâce à vous, je regagne mon trône.

– Oh ! c'est tout à fait naturel ! Je n'ai fait que dire tout haut ce que tout le monde pensait tout bas, répondit Sartigan. Barthélémy vous a accusé de démence, mais les vrais fous ne sont pas ici, à Berrion.

– Vous avez bien raison, soupira Junos avec un demi-sourire, ils sont à Bratel-la-Grande !

***

QUATORZE FOUS CHEZ LES BLANCS

Les seigneurs et leur épouse arrivèrent des quatre coins du royaume des quinze pour participer au grand bal. Cependant, ils furent tous brutalement accueillis par les chevaliers de Bratel-la-Grande, qui les jetèrent les uns après les autres aux oubliettes.

– J'EXIGE DES EXPLICATIONS! répéta en hurlant le seigneur de Tom-sur-Mer que l'on venait aussi de conduire de force dans un trou puant avec son épouse.

– Taisez-vous, cela ne sert à rien, déclara une voix près de lui.

– Mais qui êtes-vous? Je ne distingue rien… Où êtes-vous, il fait trop noir ici!

– Je suis Hubert Diagol, seigneur de Lavanière. Je suis avec ma femme, Sidonné… Nous croupissons ici depuis deux jours déjà et personne ne nous dit rien.

– Mais pourquoi donc nous enferme-t-on?

– Ça, je l'ignore…, répondit le seigneur déchu. Comme vous, probablement, j'ai été invité à un bal et c'est ici que je me retrouve…

– Mais il y a un malentendu! C'est impossible que l'on nous traite de la sorte!

– Hum…, fit Hubert. C'est ce que j'ai cru aussi jusqu'à ce que je me rende compte que les oubliettes de ce secteur du donjon contiennent tous les seigneurs du grand royaume… Il ne manquait que vous…

– Mais… mais cela voudrait dire que…

– J'ai bien peur que nous supposions la même chose. Je présume que notre nouveau souverain a décidé de faire le ménage…

– Non! Je refuse de croire qu'il pourrait agir ainsi... Je... Mais entendez-vous? Quel est ce bruit?

Un bruit sourd d'engrenage suivi d'un son de ruissellement se fit entendre et, rapidement, l'eau commença à monter dans le cachot.

– Mais qu'est-ce que c'est? Qu'est-ce cela signifie? demanda le seigneur de Tom-sur-Mer, au bord de la panique.

– Cela veut dire, répondit Hubert Diagol, que, dans quelques minutes, nous serons tous noyés et que Barthélémy aura le loisir de diriger nos terres...

– C'est donc la fin pour nous? C'est cela?

– Exactement, mon ami...

Ainsi, pendant que les seigneurs étaient éliminés lâchement, Barthélémy, lui, présidait une grande cérémonie dans la salle de bal. Le roi avait convoqué ses meilleurs hommes dans le but de les récompenser pour leurs loyaux services, et toute la cour était invitée. Il y avait à boire et à manger abondamment et, naturellement, l'ambiance était à la fête. Les ménestrels avaient reçu l'ordre de ne jouer que des airs endiablés et de ne jamais prendre de pause. La directive venait du souverain qui, leur avait-on expliqué, exigeait que sa réception ne connaisse aucun temps mort. En réalité, Barthélémy espérait de cette façon couvrir les cris de détresse qui pourraient monter des profondeurs des caves où étaient emprisonnés les seigneurs.

Alors que la réception battait son plein, un homme couvert de plumes surgit dans la salle et se dirigea vers le roi en claudiquant. Il s'effondra à ses pieds et, tremblant comme une feuille, l'implora de l'écouter. Aussitôt, le ton de la fête baissa d'un cran et l'attention de tous fut dirigée vers l'intrus.

– Que me veux-tu, étranger? demanda Barthélémy, embarrassé par l'allure grotesque du personnage. Que puis-je faire pour toi?

– Mais… mais… vous ne me reconnaissez pas, Votre Altesse? C'est moi! Je suis l'intendant que vous avez posté à Berrion!

– Ça alors! Maintenant que vous me le dites… oui… je vous reconnais! C'est qu'avec toutes ces plumes je vous avais pris pour un pigeon voyageur! blagua le souverain pour détendre un peu l'atmosphère.

Effectivement, la plaisanterie ne manqua pas de faire rire les convives.

– Très drôle, Votre Majesté! reprit immédiatement l'intendant avec un rire forcé. Très drôle! Même si je ne suis pas un pigeon, je suis quand même porteur d'une très mauvaise nouvelle.

– Parlez, je vous écoute, oiseau de malheur! lança Barthélémy en feignant de s'amuser pour ne pas assombrir la fête.

– Berrion s'est révoltée et… et on m'a même humilié publiquement en me déshabillant sur la grande place! Les chevaliers m'ont badigeonné de miel et, comme vous pouvez le constater, ils m'ont collé des plumes sur tout le corps!

– Je dois admettre que cela vous donne une légèreté que je ne vous connaissais pas! badina le roi sous les rires de la salle.

– Mais… mais vous ne comprenez pas! s'impatienta l'ancien intendant. Junos a repris le contrôle de son fief et m'a demandé de vous dire qu'il se retire de l'alliance des royaumes de chevaliers! Vous venez de perdre Berrion!

– Eh bien! fit Barthélémy qui commençait à perdre sa contenance, vous savez ce que l'on dit? Un de perdu, dix de retrouvés!

Le roi s'élança et, d'un seul coup d'épée, trancha la tête du pauvre bougre. Un froid glacial tomba sur l'assemblée à l'instant même où le corps s'affaissa sur le sol.

– Je déteste les pleurnichards qui, en plus, n'arrivent pas à honorer la confiance dont je leur fais l'honneur! clama Barthélémy en rengainant son arme. Voilà pourquoi j'ai choisi parmi vous, mes meilleurs chevaliers, les nouveaux seigneurs qui travailleront avec moi à la réalisation de mes projets. J'avais l'intention de vous l'annoncer à la fin de ce banquet, mais cet incident m'oblige à changer mes plans. Il y a quatorze sièges à combler et j'ai spécialement fait forger autant d'épées pour mes nouveaux seigneurs !

Barthélémy regagna son trône et appela son premier élu. Tête haute, le chevalier s'avança et s'agenouilla devant son roi.

– Pour ton indéfectible soutien durant notre campagne pour trouver la toison d'or, je te donne les terres de Myon, à la lisière des territoires vikings. Je compte sur toi pour diriger une armée vers Gonnor et faire mordre la poussière aux barbares qui peuplent le nord du continent.

– Je vous ferai honneur sans jamais faiblir, répondit le nouveau seigneur en acceptant l'épée que le roi lui tendait.

Le souverain appela un autre chevalier.

– Pour ton habileté à jouer de si magnifique façon avec la flûte du roi des faunes, je te donne Tom-sur-Mer. Là, tu pourras trouver l'inspiration nécessaire à la composition d'autres airs qui, pendant notre croisade, nous seront sûrement d'une grande utilité au combat. Que ton règne soit long et prospère !

– Contre vents et marées, nous vaincrons
le mal !

Et ainsi, les quatorze nouveaux seigneurs
furent nommés.

***

UN SOLIDE CAVALIER
POUR LES NOIRS

Depuis des heures, Béorf et Amos
fouillaient dans les décombres de la flagolfière
pour trouver Gungnir, la lance d'Odin.

– Je n'arrive pas à croire que je l'ai perdue !
ragea le béorite, à bout de nerfs.

– Écoute, Béorf, lui dit Amos en s'asseyant
sur une souche, prends quelques instants de
repos pour te calmer, car tu ne trouveras
jamais rien dans cet état.

– Depuis le début des temps, ma famille a
conservé cette lance de génération en génération et, moi, je réussis à la perdre, comme
ça ! Pouf ! Disparue, la lance !

– Tu es certain qu'elle était bien dans la
flagolfière avant que Barthélémy ne la fasse
exploser ? demanda Amos, encore engourdi
par le charme de la flûte du roi des faunes.

– J'en suis certain ! répondit Béorf, au bord
du désespoir. Je m'étais dit qu'elle y serait en
sécurité ! Comme les chevaliers ont fouillé les

restes de l'engin pour retrouver l'élément manquant de la toison d'or, je suis prêt à parier qu'ils ont trouvé Gungnir et… et…

Le garçon tomba à genoux en sanglotant et frappa le sol de ses poings.

— Tu te rends compte, continua-t-il, toujours avec des sanglots dans la voix, je suis le pire des idiots que la terre ait porté ! J'ai failli à ma tâche… C'est fichu maintenant ! C'était moi, le nouveau gardien de la lance et… et… j'ai tout raté !

Éreinté, Amos se leva péniblement et souleva son ami par les épaules afin de le remettre sur pied.

— Béorf, toi et moi sommes épuisés à cause du sort qu'on nous a jeté, lui dit-il pour essayer de le réconforter. C'est normal que nous soyons plus sensibles, plus émotifs… Réfléchis un peu et ne cède surtout pas à la panique…

— Je veux bien, mais… mais je n'y arrive pas… j'ai seulement envie de pleurer… et en même temps, je rage… je m'en veux, c'est… c'est terrible !

— Tu as de la chance que les filles ne te voient pas dans cet état, blagua Amos pour lui remonter le moral. Tu en aurais pour des années à te faire taquiner.

— Oh ! là là ! Jure-moi de ne jamais leur en parler, fit Béorf en s'essuyant les joues.

– Je le promets! assura le porteur de masques, la main sur le cœur. Mais dis-moi, j'y pense, on ne peut pas déplacer ta lance si on ne la prend pas avec le gant de métal, c'est ça?

– Oui… c'est bien ça.

– Alors, pour emporter Gungnir, il aurait d'abord fallu que les chevaliers trouvent le gant. Et comment auraient-ils pu faire un lien entre les deux objets? Pense-y, Béorf, c'est plus qu'improbable.

– Tu le penses vraiment? demanda le béorite avec un peu d'espoir dans la voix.

– Mais bien sûr! Écoute, les hommes de Barthélémy ne cherchaient pas une lance, mais des cornes de bélier! Ils n'avaient que faire de nos effets personnels. D'ailleurs, après leur passage, Flag n'a-t-il pas retrouvé la trousse de potions et d'ingrédients de Lolya, ainsi que nos oreilles de cristal et le livre *Al-Qatrum*?

– Ouais… alors, c'est encore possible que Gungnir soit là, quelque part dans cette forêt… La meilleure chose à faire, c'est de continuer à chercher!

– Je le pense aussi, conclut Amos, mais un peu plus tard si tu veux bien. J'ai les jambes paralysées par la douleur…

– Moi, je me sens assez bien, sauf que j'ai le moral à zéro… Que penses-tu qu'il va arriver maintenant que Barthélémy possède la toison d'or? En tout cas, moi, je n'entrevois pas un avenir très brillant!

– Par contre, nous avons un avantage sur lui, dit Amos en se massant les mollets.

– Ah bon! Lequel?

– Il croit s'être débarrassé de nous! Mais en aucun moment il ne devra savoir que nous sommes toujours là. Ce sera notre atout le plus important!

– Je comprends… mais il faudra que…

Comme s'il avait été foudroyé, Béorf se tut et demeura immobile, bouche bée.

– Mais… mais qu'est-ce que tu as? Ça ne va pas?

Le jeune hommanimal pointa du doigt un objet dans l'herbe qui se déplaçait lentement. Il s'agissait du gant de métal de Gungnir qui, à l'aide de ses doigts, avançait vers eux comme un insecte à cinq pattes.

– Vois-tu ce que je vois? demanda Béorf. Il rampe…

– De lui-même…, répondit Amos, tout aussi estomaqué. Sans aide…

– C'est moi qui le perds et c'est lui qui me retrouve…

– Tu peux peut-être l'aider en te rendant jusqu'à lui…

– Et s'il est envoûté? s'inquiéta Béorf. Si je devenais fou?

– Alors, je laisserai à Lolya le soin de te préparer un remède infect que tu devras, tout comme moi, avaler tous les jours !

– J'y vais…

Béorf s'approcha du gant de métal et le prit entre ses mains. La pièce d'armure cessa de se mouvoir.

– Qu'est-ce que je fais maintenant ? demanda-t-il, inquiet.

– Enfile-le ! suggéra Amos. On verra bien ensuite !

– On voit que ce n'est pas toi qui prends des risques, grogna le béorite.

– Si tu avais voulu vivre dans la sécurité, tu ne m'aurais pas accompagné jusqu'ici, Béorf !

– Bon, ça va, ça va…

Béorf s'exécuta et rien de fâcheux ne se produisit. Le garçon fit un tour sur lui-même, bras tendu et paume ouverte.

– Que t'arrive-t-il ?

– Je sens comme… comme une force… Comme si… comme si, je sentais la présence de Gungnir…

Au même instant, un arc électrique se forma à partir du gant et se rendit jusqu'à la lance égarée. Comme un aimant, il attira l'arme précipitamment dans la main de Béorf.

— WOW! cria ce dernier, trop content. TU AS VU ÇA, AMOS? ELLE EST REVENUE! ELLE EST REVENUE TOUTE SEULE!

— Extraordinaire! s'exclama le porteur de masques, ébahi. Vraiment extraordinaire!

— Et quel soulagement! soupira Béorf en admirant Gungnir. Mais quel soulagement! Bon… rentrons maintenant, je crois que nous avons besoin de repos…

***

DES MILLIERS DE CAVALIERS
POUR LES BLANCS

La ville de Berrion s'était refermée comme une huître quand des vigiles avaient annoncé en hurlant l'arrivée des troupes de Bratel-la-Grande. Les chevaliers du roi Barthélémy avaient installé leur campement dans une clairière non loin des murailles, mais ils étaient restés à plusieurs portées de flèche de la ville pour préparer leur offensive pendant qu'affluaient les renforts.

Junos, du toit de son donjon, observait ses ennemis avec inquiétude, voyant leur nombre grandir sans cesse.

— Regardez, maître Sartigan, ils sont venus de partout! Sur la gauche, ce sont les forces de Lavanière, puis voilà celles de Myon! Les troupes d'Olilie, à droite, commencent à monter leur campement!

– Oui… Bientôt, toutes les armées du roi seront présentes…

– Ils vont nous briser comme une noix! Berrion ne résistera jamais à une telle force!

– Eh bien, on dirait que Barthélémy a décidé de vous donner une leçon, soupira Sartigan.

– Ils seront bientôt cent fois plus nombreux que nous!

– Vous êtes facilement impressionnable, Junos, ajouta le vieux maître. Que peuvent faire des milliers de fourmis contre la volonté d'un seul homme à les écraser? Vous êtes un géant, Junos, et vous devez en être conscient…

– Ce n'est pas la philosophie qui nous sauvera! répliqua le seigneur de Berrion en pointant du doigt la ligne d'horizon.

– Qu'est-ce que c'est?

– Un trébuchet!

– Un quoi?

– Un trébuchet! soupira Junos. C'est une arme de siège particulièrement puissante…

Ce que le seigneur savait, mais qu'il n'avait pas la force d'expliquer, c'est que le nom même de cet appareil de guerre dérivait de *trebucca*, qui signifiait, dans les anciens dialectes, «ce qui apporte des ennuis». Cette machine, digne d'avoir été inventée par Flag, était faite d'un assemblage liant une verge à un contrepoids qui contenait à une extrémité un immense boulet de pierre taillée. Un seul trébuchet pouvait projeter à une distance phénoménale des projectiles aussi lourds qu'un éléphant. D'une grande précision, la machine était en mesure de concentrer ses tirs sur un bâtiment spécifique, pouvant ainsi raser un château sans toucher aux fortifications. Junos avait même entendu dire qu'à la seule vue d'un trébuchet des places fortes avaient capitulé sans même livrer bataille.

— Mais ce n'est qu'une machine de bois, de cordages et de pierres, n'est-ce pas? lança Sartigan.

— Oui… Je suppose que celle-ci n'est que la première! s'inquiéta Junos. D'autres suivront sans doute. Si chacune des armées de Barthélémy dispose de deux de ces engins, nous ferons face à un tir de vingt-huit trébuchets! En moins d'une heure, il ne restera plus rien de Berrion.

— Hum… nous pourrions avoir besoin d'aide! raisonna Sartigan.

— Sauf que j'ai bien peur que nous soyons isolés dans cette guerre!

— Oh! non, vous n'êtes pas seul!…

– Ah non? Qui pourrait nous aider? QUI?

– Vous recevrez de l'aide du ciel et des enfers, des hommes du Nord et de la lumière des fées, mais, surtout, vous recevrez bientôt l'appui d'Amos Daragon.

– Amos est ici? fit Junos avec un brin d'espoir dans la voix.

– Non, il n'est pas encore là, répondit le maître, mais je sens son arrivée prochaine. Il y a dans l'air quelque chose qui annonce son retour…

– Je souhaite que vous disiez vrai!

– Patience… Il vous faut encore un peu de patience… D'ailleurs, il existe une histoire qui raconte qu'un jour un prince avait décidé de…

– Pas maintenant, mon ami, l'interrompit le seigneur. Je n'ai pas la tête à entendre une de vos histoires…

– Très bien, je comprends…, dit le vieillard en se retirant.

Sartigan laissa donc Junos seul avec ses angoisses. Le plan de Barthélémy se dessinait clairement à ses yeux en considérant que Berrion était la porte du Nord. Une fois la ville conquise, le roi aurait tout le loisir d'étendre son pouvoir jusqu'à la gigantesque forêt des pins gris, puis d'établir une forteresse à la base des monts venteux. Ensuite, il n'aurait plus qu'à conquérir le territoire de Wassali, soumettre ses hommes et continuer sa quête vers Gonnor, puis Upsgran, Volfstan et Krakov. Une fois tous les Vikings sous l'emprise du pouvoir de la toison d'or, l'extermination des humanoïdes pourrait alors se faire en commençant par les Salines. La grande alliance des hommes n'aurait plus qu'à marcher sur le continent et à écraser toutes formes de résistance. Junos savait que Berrion ne devait pas fléchir devant Barthélémy, car cela signifierait le début de la fin pour la diversité des races et des cultures du monde entier.

« Mais comment leur résister ? songea Junos, découragé. Si les légendes sur la toison d'or disent la vérité, les chevaliers de Barthélémy seront invincibles, alors que les miens… pff, alors que les miens n'auront aucune protection magique. »

Au loin, les hommes portant les étendards de Grands-Vallons et de Lavanière étaient venus grossir les rangs de l'armée du roi. Une cité de chevaliers était en train de s'ériger tranquillement autour de Berrion. Au moins, Junos avait pensé des réserves d'eau et de nourriture pour toute la population, en prévision d'un siège.

« Nous tiendrons ! décida le seigneur en se ressaisissant. Nous tiendrons, car nous n'avons pas d'autre choix que de tenir… De Berrion dépend le sort du monde, et l'histoire se souviendra de nous comme étant de grands héros ! Ce sera peut-être ma dernière bataille, mais elle sera spectaculaire ! »

***

UNE SOLIDE TOUR D'AMITIÉ
POUR LES NOIRS

Amos, Médousa, Béorf, Lolya, Maelström et Flag discutaient en finissant un somptueux repas préparé par les fées de l'île. Autour d'une immense table circulaire couverte de victuailles, les amis célébraient leur bonheur de se retrouver tous sains et saufs. La nuit était maintenant tombée, mais, avec elle, avaient ressurgi les inquiétudes face à l'avenir.

– Quels sont les plans, maintenant ? demanda la gorgone, démoralisée.

– Il faudrait d'abord savoir ce que Barthélémy prépare, répondit Amos. Autrement, nous ne pourrons pas élaborer une stratégie adéquate.

– Je te signale qu'il est en possession de la toison d'or et que, si l'on se fie à la légende, ses armées devraient être indestructibles! ajouta Lolya en buvant une gorgée de thé. Ouache, il est froid! Amos, tu veux bien me le réchauffer, s'il te plaît?

Le porteur de masques toucha la tasse de son doigt, et le liquide se mit à bouillir.

– Wow! Merci bien!

– Ce n'est rien. Pour en revenir à ce que tu disais, Lolya, je suis convaincu qu'il existe toujours une façon de battre un ennemi, surtout s'il se croit invincible… Euh… quelqu'un veut partager ce morceau de gâteau au miel avec moi?

– Seulement si tu insistes! fit Béorf en tendant la main.

– Voilà pour toi!

– Et tout le plaisir est pour moi, assura le béorite en avalant sa part.

– Mais en attendant, nous sommes prrrisonniers de cette île et nous ne pouvons rrrien fairrrre, se morfondit Flag. Ma flagolfièrrre est en morrrceaux et je ne peux pas la rrreconstrrruirrre, ici! J'espèrrre que mes assistants, surr l'île de Frrreyja, aurrront eu le temps d'en fabrrriquer une ou deux autrrres. Mais rrrien n'est moins sûrr!

– Je l'espère aussi, déclara Amos, car je compte bien sur l'un ou l'autre de tes engins pour épier les troupes de Barthélémy.

– Je pourrais aisément retourner à Upsgran en volant, mais je ne peux pas tous vous porter, dit Maelström.

Le dragon eut droit à un long silence embarrassé. Puis on entendit une voix mélodieuse :

– Moi, je sais…

C'était Gwenfadrille qui, entourée de minuscules fées lumineuses, avançait vers eux. Devant elle, la végétation s'ouvrait pour la laisser passer en dessinant un petit sentier sur l'herbe tendre. La démarche de la reine avait une légèreté et une grâce surnaturelles. Toute la tablée se leva pour la saluer dignement.

– Asseyez-vous, lança la reine des fées. Ce n'est pas la peine…

– Vous avez donc une solution ? demanda Amos, heureux de la retrouver.

– Je crois que je peux vous aider, affirmat-elle en se joignant à eux, mais cela m'oblige à vous livrer un secret que seules les fées connaissent. Vous verrez un endroit réservé exclusivement aux dirigeants de mon peuple. Mais, pour cela, j'ai besoin de savoir qu'aucun d'entre vous ne trahira ce secret…

– Je le jurrre surrr la tête de mes aïeux ! dit Flag en portant la main à son cœur.

– C'est promis ! ajoutèrent Amos et ses amis.

– Il existe des dizaines de royaumes de fées d'un bout à l'autre du continent et ils sont tous reliés les uns aux autres par un système de portes magiques, expliqua Gwenfadrille. C'est d'ailleurs en empruntant une de ces portes que je suis parvenue ici…

– Il existerait donc un passage entre cette île…, se réjouit Amos, et le bois de Tarkasis ?

– Exactement. Ces entrées se trouvent généralement sous des dolmens et doivent être activées par de puissants druides.

– Cela explique le lien qui existe entre Mastagane le Boueux et Tarkasis, fit le porteur de masques. Je comprends maintenant pourquoi il y avait tant de fées de différentes races lors de ma première visite là-bas.

– Tu as vu juste, Amos ! Donc, je veux vous faire passer l'une de ces portes afin que vous puissiez rejoindre Berrion le plus vite possible… Les choses se compliquent pour votre ami Junos. Barthélémy se prépare à attaquer la ville…

– Allons-y tout de suite alors ! clama Béorf en bondissant. Avec Gungnir, je les tiendrai tous en échec, ces chevaliers de malheur !

– Non ! objecta Amos. Ce n'est pas ainsi qu'il faut faire…

– Je reviendrai vous chercher au lever du soleil. Je vous indiquerai le passage. Dormez bien, car vous en aurez besoin.

Comme elle regagnait la forêt, la reine se retourna et ajouta :

– Pensez aussi à sauver le bois de Tarkasis ; mes sœurs sont trop petites et trop faibles pour affronter la méchanceté des hommes… Sans vous, nous ne survivrons pas…

– Vous avez déjà conquis mon cœurrr, déclara langoureusement le lurican. Je vous donnerrrais mon âme s'il le fallait… Mon unique but, jusqu'à la fin de mes jourrrs, serrra d'exécuter vos moindrrres désirrrs…

– Je n'en demandais pas tant, répondit la reine en souriant, visiblement touchée par cette tirade improvisée. À demain alors…

Légère comme la brise, Gwenfadrille disparut à travers les arbres.

– Quelle femme ! s'extasia Flag, dans tous ses états. La petite fée que j'avais rencontrrrée surrr cette île et à qui j'avais demandé, pourrr vous sorrrtirrr du coma d'extase, de contacter sa rrreine, ne m'avait pas décrrrit la beauté de sa maîtrrresse ! OH LÀ LÀ ! Me voilà amourrreux ! OH LÀ LÀ ! Ça y est ! C'est le coup de foudrrre !

– Flag n'est pas à la veille de se coucher ce soir, soupira Amos sur un ton moqueur.

– Nous devrions l'attacher afin qu'il ne coure pas toute la nuit entre les arbres à la recherche de sa dulcinée ! renchérit Béorf, hilare.

– DONNEZ-MOI UNE ÉPÉE! hurla Flag en sautant sur la table. AUCUN ENNEMI NE TOUCHERRRA AU BOIS DE TARRRKASIS TANT QUE JE VIVRRRAI! MAIS OÙ EST DONC CE BARRRTHÉLÉMY, QUE JE LE COUPE EN DEUX! FOI DE LURRRICAN, IL AURRRA AFFAIRRRE À MOI, LE SCÉLÉRRRAT!

***

LES TOURS BLANCHES MENACENT

Berrion était sur les dents et on pouvait lire la peur sur chaque visage. Les troupes de Barthélémy pouvaient attaquer d'un instant à l'autre, et l'armée de Junos se sentait maintenant bien petite face aux milliers d'hommes qui campaient non loin. Sous la pression populaire, les chevaliers vétérans redoublaient d'effort afin de trouver une stratégie qui pourrait mener la ville à la victoire. De nombreuses familles avaient abandonné leurs maisons pour se réfugier à l'intérieur des murs du donjon, plus sûr en cas de bombardements. Frilla avait travaillé toute la journée pour les accueillir convenablement, alors que Junos, débordé par l'organisation de la défense de la ville, s'était tué à l'ouvrage avec ses hommes pour renforcer la grande porte et préparer ses quelques machines de guerre.

Le soir venu, un messager de Barthélémy se présenta à l'entrée de Berrion. Il s'agissait d'un jeune garçon d'une quinzaine d'années qui tremblait comme une feuille à l'idée de se faire massacrer. Heureusement pour lui, Junos n'était pas un sauvage et il fut accueilli avec égards.

– Tu as un message pour moi? demanda le seigneur de Berrion.

Sans prononcer une seule parole, le garçon tomba à genoux et lui tendit une lettre marquée de deux tours, le sceau du royaume de Myon. Junos brisa le morceau de cire et lut attentivement le message:

Sous la gouverne du grand Barthélémy Ier, roi et souverain du royaume des quinze, moi, seigneur de Myon et commandant en chef des armées de Sa Majesté, vous ordonne de baisser votre drapeau et de vous rendre. Pour le bien des hommes de Berrion qui mourront bientôt sous vos ordres, j'accepte derechef votre capitulation et vous invite à ouvrir les grandes portes de la ville afin que mes hommes investissent les lieux pacifiquement. Je vous assure que la population ne souffrira aucunement de notre présence et que, pour peu que les chevaliers de Berrion désirent *se joindre aux forces de la grande croisade de Barthélémy, ils seront aussi épargnés. Vous avez jusqu'au lever du soleil pour réfléchir à cette proposition et vous y soumettre, sinon la ville et ses habitants subiront les conséquences de votre entêtement. Vous ne pouvez pas retenir la grande marche du bien.*

— Retourne chez toi, petit, soupira Junos, et va dire à ton maître que je réfléchis à sa proposition.

Deux chevaliers raccompagnèrent le jeune garçon à la sortie. Junos demanda alors que l'on fasse venir Sartigan et, dès son arrivée, expliqua la situation au vieux maître.

— Qu'attendez-vous de moi au juste? demanda Sartigan après avoir entendu le récit de son ami.

— J'ai besoin de vos conseils, répondit Junos. Je sais ce que je dois faire, mais je ne veux pas que mes gens souffrent.

— Alors, vous auriez dû y penser bien avant, lança le maître en rigolant avant de se diriger vers la porte.

— Mais où allez-vous ainsi? J'ai besoin de vous et…

— Vous n'avez pas besoin de moi, cher Junos. Le peuple est derrière chacune de vos décisions et tous, même les femmes et les enfants, sont prêts à mourir dans cette bataille.

– Je ne veux pas qu'il leur arrive de mal…

– On raconte chez moi qu'un jour le peuple des oiseaux s'était rassemblé sur une haute montagne pour élire un roi. Ils étaient venus de tous les pays pour assister à l'événement, mais surtout pour avoir une chance d'être élu. C'est évidemment l'aigle qui se proposa comme monarque; après tout, les hommes l'appelaient déjà le « roi des airs ». Avec son port altier, l'envergure de ses ailes faites pour les cimes et la beauté de son plumage, il ferait un souverain de marque. Mais sa candidature fut refusée sous prétexte qu'un bon roi ne doit pas planer si haut au-dessus de son peuple. Il doit être accessible. Vous me suivez?

– Oui, oui, fit Junos en opinant du bonnet. Je comprends qu'un bon régent ne doit pas être inaccessible…

– Le coq intervint aussitôt, continua Sartigan, et assura qu'il ferait un roi parfait en raison de la beauté de son chant. Il insista sur le fait que même le soleil, charmé par sa voix, se levait tous les matins pour l'entendre. Son argumentation ne fut pas assez solide et les autres jugèrent que ses ailes étaient comme ses idées, trop courtes, et qu'ils ne pouvaient se contenter d'un souverain qui se plaisait à picorer dans le fumier toute la journée.

— Vous avez bien raison, approuva Junos, amusé. Pour gouverner, il faut avoir de bonnes idées et éviter la médiocrité.

— Ce fut au tour du rossignol de vanter ses mérites, mais, en fait, il n'avait aucun talent particulier et fut vite éliminé. La grue, qui portait déjà une magnifique couronne et dont la marche était si majestueuse, se proposa, mais personne ne voulait d'une belle souveraine n'ayant, comme elle, qu'un petit pois à la place du cerveau. Alors, je vous pose la question, Junos, lequel des oiseaux fut choisi comme roi ?

— Ça, c'est une colle ! s'exclama le seigneur.

— Prenez votre temps…

— Curieusement, je crois que c'est le perroquet !

— Et pourquoi ?

— Parce que le perroquet est le seul animal qui sache parler et que le peuple a justement besoin d'un roi qui soit capable de lui parler. De prononcer des paroles qui consolent, qui bercent et qui amusent en période de crise ; des mots qui encouragent et donnent espoir afin que tout le monde travaille toujours en harmonie et dans la même direction. Je crois qu'un bon souverain doit, avant tout, posséder le talent de communiquer adroitement avec ses gens.

– Hum… pas mal! dit Sartigan en souriant.

– C'est la bonne réponse? l'interrogea Junos.

– En réalité, expliqua le vieux sage, il n'y a pas de bonne réponse.

– Mais…

– Vous m'avez fait venir pour vous aider, voici ce que je vous conseille: comme vous croyez qu'un bon roi est quelqu'un qui sait parler à son peuple, eh bien, rendez-vous auprès de votre peuple et parlez avec lui. Je crois que les gens de Berrion sauront vous donner la réponse que vous attendez… Ils vous confirmeront ce que je vous ai déjà dit, qu'ils sont prêts à mourir pour vous!

***

À LA RECHERCHE DE PIONS NOIRS

Exactement comme l'avait décrite Gwenfadrille, la porte des fées était bien cachée sous un dolmen. Il s'agissait en vérité d'un trou dans lequel un humain ne pouvait passer qu'à quatre pattes.

– Nous y voici, dit la reine en indiquant la cavité. Vous verrez, le voyage ne sera pas très long.

– Il y a un problème, dit timidement Maelström. Je suis trop gros pour entrer là-dedans… Je ne pourrai pas vous accompagner!

– D'ailleurs, nous devrions tous nous séparer, proposa soudainement Amos.

– Et pourquoi? demanda Béorf, étonné.

– Parce que Berrion aura besoin de renfort et qu'à nous cinq nous ne suffirons pas à repousser Barthélémy. Il nous faut trouver des armées pour lui opposer une plus grande résistance.

– Mais qui voudra se joindre à nous? demanda Médousa, renversée par la proposition. Je ne peux pas rassembler une armée de gorgones comme ça!

– Des gorgones, non, convint Amos, mais des icariens, oui! Là-bas, ils te considèrent comme une déesse et tu n'auras aucun mal à te faire obéir. Quant à toi, Béorf, il est temps de réaliser la prophétie de Gungnir et d'unir sous ton commandement les peuples du Nord.

– Mais je ne sais toujours pas comment faire cela! s'écria le béorite.

– Il faudra pourtant que tu trouves, mon ami…

– Et moi, demanda Lolya, je fonce chez les Dogons? Je te rappelle que je ne suis plus reine et que si ma jeune sœur, qui est une reine passablement entêtée, décide de ne pas me suivre, eh bien, tes plans sont à l'eau!

– Non, Lolya, poursuivit Amos, tu dois te rendre à l'abbaye de Portbo où tu demanderas au démon Yaune-le-Purificateur de te suivre. Il m'a confirmé lors de notre dernière rencontre qu'il préparait une armée pour moi…

– Et moi, petit frère? Qu'est-ce que je fais? demanda Maelström, inquiet d'avoir été oublié.

– Toi, tu porteras Médousa jusqu'à la cité de Pégase et tu accompagneras les bataillons d'hommes volants.

– De mon côté, proposa Flag, les yeux remplis d'émotion, je rrreste avec vous Gwenfadrrrille. Je vous prrrotégerrrai de ce méchant Barrrthélémy…

– Non, Flag, toi, tu iras sur l'île de Freyja pour voir si tes amis luricans ont une ou plusieurs autres flagolfières à nous offrir… Pour ma part, je me rendrai seul à Berrion pour aider Junos à défendre la ville. J'attendrai avec impatience votre retour…

– Comme je vous l'ai déjà dit, intervint Gwenfadrille, il y a des dizaines de royaumes de fées auxquels cette porte est reliée. Il vous suffira de me dire où vous voulez vous rendre pour que je vous conduise à celui qui est le plus proche de votre destination.

En silence, les amis se regardèrent les uns les autres.

– Alors, c'est ainsi qu'on se... qu'on se sépare..., dit Médousa dont la voix tremblait d'émotion.

– J'ai bien peur que oui, soupira Lolya en la serrant dans ses bras.

– Très bien... très bien..., continua la gorgone en essayant de se reprendre. Fais attention à toi, Amos... au revoir, Flag... et... et prends garde à toi, Béorf. Tu me manqueras beaucoup...

– Toi aussi, lui répondit le garçon en l'embrassant sur le front.

– Mes sœurs, mes frères, lança Maelström, nous reviendrons avec une armée aérienne, foi de dragon. Allez, Médousa, partons !

La gorgone enfourcha la bête de feu qui décolla en deux coups d'ailes vers la cité de Pégase.

– À moi maintenant ! s'écria Flag. J'ai trrrès hâte de rrrevoirrr mon île ! Chèrrre Gwenfadrrrille, vous connaissez l'île de Frrrreyja ?

– Oui, très bien, fit la reine. Les Brisings sont nos sœurs...

– Je vous dis adieu, susurra le lurican en baisant la main de la reine, pourrr mieux, un jourrr, vous rrretrrrouver !

– Ce serrra toujourrrs un plaisirrr! rétorqua la reine en roulant ses « r » pour le taquiner un peu.

– Coquine, va! conclut Flag en pénétrant dans le trou.

Aussitôt qu'il disparut sous le dolmen, une violente lumière blanche, comme celle d'un éclair, jaillit du trou.

– C'est à mon tour, dit Béorf en s'approchant du dolmen. Je promets de ne pas te décevoir, Amos.

– Tu ne m'as jamais déçu, mon ami! assura le porteur de masques en lui donnant l'accolade.

– À plus tard, Béorf…, enchaîna Lolya. Que les esprits te soient favorables!

– Je vais dans le Nord, expliqua le béorite à Gwenfadrille. Sur le territoire de Ramusberget…

– N'est-ce pas sur ces terres qu'Amos et toi avez vu les Brisings pour la première fois? demanda la fée.

– Oui, précisément…

À son tour, Béorf disparut sous le dolmen.

– Moi, je vais dans les royaumes des chevaliers, le plus à l'ouest possible, indiqua Lolya.

– Fais bien attention aux démons, lui recommanda Amos. Parfois, ils ne sont pas commodes.

– Ne t'en fais pas, j'ai ma dague pour les remettre à leur place.

– Sois prudente… Je ne voudrais pas te perdre, lui confia-t-il en la serrant très fort dans ses bras. Je… je ne suis pas aveugle, Lolya, et je sais que… je sais que ton cœur…

– Non ! l'interrompit son amie. Je ne veux pas gâcher ce moment que j'attends depuis si longtemps par un départ… Lorsque tout sera redevenu plus calme, nous en reparlerons…

– Oui, tu as raison, restons-en là… Nous avons beaucoup à faire et peu de temps pour l'accomplir…

Juste avant d'entrer dans la porte des fées, Lolya se retourna et murmura :

– Je t'aime, tu sais…

– Moi aussi, lui répondit Amos tout aussi doucement.

Puis un éclair blanc vint les séparer.

***

LES BLANCS, TOUS DES PIONS

Le roi Barthélémy avait rejoint ses armées et, avec ses commandants, passait en revue son attirail de guerre. Il y avait, en plus des nombreux trébuchets, une bonne douzaine de catapultes capables de faire tomber les plus solides murs de pierre, trois grands béliers munis de pare-flèches pour enfoncer les portes de la ville, ainsi que cinq forges rougeoyantes qui permettraient de réparer épées, armures et boucliers endommagés sur place. Sous les miradors, des milliers de solides chevaliers et d'habiles archers étaient rassemblés en quatorze compagnies prêtes à donner l'assaut à tout moment. Dans de grandes marmites, on faisait bouillir de l'huile pour l'introduire dans les boulets des trébuchets dans le but de les rendre explosifs. Sous de gigantesques tentes étaient regroupées l'infirmerie et les salles de banquet, alors qu'au centre du camp on avait monté le pavillon royal.

– Je crois que nous n'avions pas besoin de déployer autant de matériel pour conquérir Berrion, dit respectueusement le seigneur de Myon au roi. Cette ville est minuscule et nous sommes cent fois plus nombreux. La défaite est impossible !

– J'avoue que, vu la taille de Berrion, répondit Barthélémy, nous y sommes peut-être allés un peu fort.

– Prenons cette attaque comme un entraînement, suggéra le nouveau seigneur de Lys-sur-Mer en sirotant une coupe de vin fort. Cela nous déliera les muscles avant d'affronter les hommes du Nord.

– Je crois que les barbares du Nord se joindront à nous sans nous combattre, ajouta le seigneur de Grands-Vallons, notre force est trop impressionnante.

– Messieurs! fit le roi, ne commettons pas de fautes par excès de confiance…

Un chevalier entra brusquement dans le pavillon et déposa devant le souverain un pot qui semblait contenir une grosse luciole.

– Un de mes hommes a capturé cette chose près de la forêt de Tarkasis, déclara-t-il en s'inclinant respectueusement. Je crois bien qu'il s'agit… qu'il s'agit d'une minuscule fée.

Tout de suite, Barthélémy s'approcha du pot et regarda attentivement la petite prisonnière. Il s'agissait bien d'une toute petite fille à la peau bleue, munie de grandes ailes et d'oreilles pointues.

– Elle était sur une fleur, continua le chevalier, lorsque mon soldat a réussi à l'attraper. Cet homme collectionne les insectes et il croyait avoir découvert une nouvelle race de libellules. Nous avons fait des trous dans le couvercle, pour qu'elle respire… Euh… voilà… c'est tout…

– Très bien, fit Barthélémy. Excellent travail! Vous pouvez disposer.

– Voyez, messieurs, lorsque je vous disais de ne pas vous asseoir sur vos lauriers! lança le souverain en admirant la petite créature. Il y a des fées dans le coin...

– Elle ne me semble pas très dangereuse, répliqua l'un des seigneurs en riant, et quand bien même il y en aurait des milliers comme celle-là, nous les éliminerons facilement.

– Les fées sont petites, mais leurs pouvoirs sont grands, précisa le roi. Si elles se battent du côté de Junos, il nous faudra plus de ruse que de force. Je me demande bien pourquoi celle-ci s'est laissé prendre aussi facilement ? D'après ce qu'on en dit, ces petites créatures sont plus malignes que cela !

Barthélémy secoua le pot pour agresser la fée. Celle-ci se cogna brutalement la tête plusieurs fois contre la paroi de verre.

– Alors ? Que fais-tu ici, toi ? Réponds, petite créature démoniaque ! On voit bien à ton petit visage apeuré que tu crains la puissance du bien et la force de sa lumière purificatrice !

– Je suis une messagère, dit enfin la fée, et on m'envoie porter un message au roi des humains. Êtes-vous le roi des hommes ?

– Elle sait parler, la petite ! Mais que c'est mignon ! s'exclama Barthélémy. En effet, je suis le roi de tous les chevaliers et, bientôt, je serai l'empereur de ce monde ! Quel est ton message, petit papillon ?

– La reine Gwenfadrille, gardienne du bois de Tarkasis et reine des fées de ce monde, vous ordonne de plier bagage et de rebrousser chemin. Nous savons que vos intentions sont belliqueuses, mais promettons de ne vous faire aucun mal si vous quittez immédiatement les lieux.

Le roi et ses quatorze seigneurs explosèrent d'un rire gras empreint de supériorité.

– Elle est bien bonne, celle-là! s'écria Barthélémy en reprenant son souffle. C'est tout ce que Junos a trouvé pour nous faire peur? Une fée qui lance des ultimatums!!!

– Je ne viens pas de la part de Junos, mais de la vénérable reine Gwenfadrille qui…

– Tais-toi! lui ordonna le roi, encore hilare. Tu diras à ta Gwendril que je ne raserai pas sa forêt si, et seulement si, elle consent à sortir de son sous-bois pour venir me baiser les pieds… d'accord?

– Quel insolent! fit la fée.

– Mieux! Je crois que je vais faire mieux que cela…

Barthélémy lança le pot par terre qui explosa en mille morceaux. Il saisit ensuite avec sa grosse main la toute petite fée étourdie par le choc, et lui brisa tous les os du corps en refermant son poing sur elle. On entendit un léger craquement, comme une branche sèche qui se casse sous la caresse du vent.

– Mon message sera plus clair ainsi! lança le roi en ricanant. Qu'on dépose le corps de cette fée là où on l'a trouvée. Les petites créatures qui vivent dans le bois de Tarkasis comprendront peut-être mieux à qui elles ont affaire. Nous ne sommes pas là pour discuter, mais bien pour éliminer le mal et rendre aux humains la terre qui leur revient.

À la demande du souverain, un serviteur entra dans le pavillon et se retira en emportant le corps de la fée.

– Messieurs, continua Barthélémy, il est maintenant temps de préparer cette première attaque. Que Junos réponde favorablement ou non à l'ultimatum que le seigneur de Myon lui a envoyé, j'ai quand même très envie de raser la ville de Berrion et de mettre le feu au bois de Tarkasis. Demain, au lever du soleil, nous procéderons…

2
La partie commence

**LES BLANCS JOUENT TOUJOURS
LES PREMIERS**

Comme l'avait ordonné Barthélémy, dès le lever du soleil, les hommes de Myon actionnèrent le premier trébuchet. Dans un long mouvement gracieux, la machine se déploya avant de projeter un premier boulet. L'obus vola quelques secondes avant de retomber violemment en plein centre de la ville, pulvérisant l'une des nombreuses fontaines de la place.

La cité de Berrion trembla sous la secousse.

— Ils attaquent! cria un chevalier vétéran. Seigneur Junos, je propose que nous ouvrions les portes pour laisser sortir un détachement de cavaliers capables de fondre en vitesse sur leurs machines et de les détruire.

— Non, ce serait du suicide, répliqua Junos en regardant ses ennemis armer un deuxième trébuchet. Non, non, ils sont trop nombreux et ils auraient tôt fait de nous tuer tous. Non, il nous faut attendre…

– Mais… mais je ne vous comprends pas…, s'indigna le chevalier. Allons-nous les laisser détruire la ville sans aucune résistance?

Cette fois-ci, un énorme boulet rempli d'huile bouillante s'éleva dans le ciel, puis retomba en se fracassant sur la boulangerie. Aussitôt, des flammes jaillirent du bâtiment.

– Mobilisez vos hommes pour éteindre le feu, ordonna Junos à son chevalier.

– Tout de suite! répondit l'homme.

– Du temps…, murmura Junos, j'ai absolument besoin de gagner du temps…

Le seigneur eut alors l'idée d'ouvrir les portes de Berrion et de feindre la reddition. De cette façon, il y aurait de fortes chances que les tirs des trébuchets s'arrêtent pour quelques heures, au moins le temps d'une négociation.

– Ouvrez la grande porte de la ville! ordonna-t-il à son armée. Que tous les archers se cachent sur les fortifications autour de l'entrée principale. Comme Barthélémy ne sait pas se battre de façon loyale, nous devrons faire comme lui! Exécution!

Dans le camp adverse, le seigneur de Myon vit donc les portes s'ouvrir et ordonna que l'on cesse le chargement des trébuchets. Il courut vers le pavillon royal et surprit Barthélémy au milieu de son petit-déjeuner.

– Ô grand roi! pardon pour cette intrusion, mais il semblerait que le seigneur Junos vienne tout juste de se rendre. Conformément à la lettre d'ultimatum que je lui ai fait parvenir, il a fait ouvrir les portes de Berrion. La cité est à nous!

– Hum… hier, j'aurais bien aimé raser cette ville et tuer tous ses habitants, mais aujourd'hui je suis de meilleure humeur.

– Nous pouvons aussi continuer les tirs et la réduire en cendres! proposa le commandant en chef.

– Non, non… prenez plutôt possession de Berrion et amenez-moi la tête de Junos. Et tiens, je ferai de cette bourgade ma résidence d'été. Ensuite, vous incendierez le bois de Tarkasis… Exécution!

Le seigneur quitta le pavillon et ordonna à un détachement de deux cents hommes de le suivre jusqu'à Berrion. Le cortège se mit aussitôt en route.

– Les voilà! annonça Junos à ses archers. Dès qu'ils seront à la porte, nous fermerons la herse pour bloquer leur entrée et nous les canarderons! C'est compris?

Les hommes firent signe que oui. Le seigneur de Berrion descendit des fortifications, grimpa sur son cheval et se plaça à l'intérieur des murs de la ville. Il attendit, dans une attitude très théâtrale, l'arrivée de ses ennemis.

Bientôt, les chevaliers de Barthélémy se présentèrent en formation serrée et, après s'être immobilisé, le seigneur de Myon se détacha du groupe et galopa à la rencontre de Junos.

– Vous avez pris la bonne décision en vous rendant ! le félicita-t-il. Vous n'auriez jamais pu résister à notre puissance de tir.

– Pardon ? Que dites-vous ? fit Junos. Je vous entends mal !

– J'ai dit que vous avez pris la bonne décision ! répéta le commandant en chef en haussant le ton.

– Et pourquoi voulez-vous que je gobe du poisson ? demanda Junos en feignant toujours la surdité.

Agacé, le chevalier amena sa monture un peu plus près de Junos et lui expliqua qu'il n'était nullement question de nourriture.

– Je suis désolé, dit Junos d'un air penaud. Vous savez, je suis un vieil homme et mes oreilles ne sont plus ce qu'elles étaient… Alors, si vous vouliez bien vous approcher un peu plus, s'il vous plaît.

– Très bien, je comprends…, répondit le commandant en s'exécutant.

Le seigneur de Myon passa donc le gigantesque portique et c'est précisément à cet instant que Junos ordonna que l'on ferme la herse. Une imposante grille de métal tomba juste derrière le commandant en chef, l'emprisonnant dans la ville. À leur tour, les archers exécutèrent le plan en décochant leurs flèches sur les chevaliers qui, privés de leur chef, déguerpirent à toute vitesse. Deux hommes juchés en haut de la porte jetèrent un lourd filet de cordage sur le sbire de Barthélémy qui glissa de son cheval et s'affaissa brutalement sur le sol. Les chevaliers de Junos le maîtrisèrent facilement, puis lui lièrent les mains derrière le dos.

– Vous n'avez pas d'honneur, seigneur Junos ! grogna le prisonnier en crachant par terre.

– Je joue selon les règles que Barthélémy a établies, lui répondit-il. Je n'ai pas à avoir de l'honneur avec des gens qui en sont dépourvus. Vous êtes mon prisonnier et votre roi devra négocier votre libération…

– Vous savez bien qu'il me laissera mourir ici plutôt que de marchander avec vous. Pour lui, la grande croisade contre le mal est plus importante que la vie d'un de ses généraux.

– C'est bien ce que nous verrons ! murmura Junos en faisant signe à ses hommes d'emmener le prisonnier. Le plus important, c'est que je gagne du temps...

– Excusez-moi, seigneur Junos..., dit un archer en s'approchant de lui.

– Oui...

– Je ne sais pas comment vous expliquer... mais... mais je suis certain que...

– Allez-y calmement...

– Eh bien, fit-il en se ressaisissant, une de mes flèches a touché un chevalier ennemi, juste ici... dans le cou.

– Et alors?

– Je l'ai vu retirer la flèche comme s'il s'agissait d'une simple écharde, puis il est reparti avec les autres! D'ailleurs, il devrait y avoir des cadavres, au moins des blessés devant nos portes, mais rien... il n'y a rien...

– Ça alors..., répondit Junos, inquiet. C'est donc vrai, cette histoire de toison d'or qui rend invulnérable! Je te remercie, va maintenant!

***

LES PIÈCES SE POSITIONNENT

Amos franchit la porte des fées et se retrouva devant un long couloir étroit, faiblement éclairé par une lumière qui se trouvait à l'autre extrémité. Il marcha à quatre pattes, comme un lièvre qui sort de son terrier, et aboutit sous un dolmen du bois de Tarkasis. C'est Gwenfadrille qui l'accueillit de l'autre côté.

– Mais… mais comment avez-vous fait pour me saluer d'un côté du tunnel et m'accueillir de l'autre? l'interrogea Amos. C'est impossible!

– Il y a encore beaucoup de choses que tu ne sais pas à propos des fées, lui répondit la reine, mais, pour l'instant, les explications devront attendre. Berrion est en grand danger… Va vite aider tes amis! Et sache que mes fées se battront à tes côtés pour protéger la ville…

– Je me battrai également pour protéger votre forêt! À bientôt alors, et souhaitons-nous bonne chance!

– Bonne chance, jeune porteur de masques!

Au pas de course, Amos s'enfonça dans les bois. Une petite fée toute blanche et très rapide s'adressa à lui.

– Cours de toutes tes forces, à pleine vitesse, lui dit-elle, j'ouvrirai un chemin devant toi.

En effet, devant elle, toute la flore se séparait pour les laisser passer.

Rapidement, Amos arriva à l'orée du bois où une dizaine de chevaliers, munis de torches et de contenants d'huile, se préparaient de toute évidence à mettre le feu.

– Mais que faites-vous là? leur cria Amos.

– Va jouer ailleurs, gamin! répliqua un des soldats. Nous avons reçu l'ordre de brûler cette forêt. Allez, ouste!

– Mais vous ignorez donc qu'il est dangereux de jouer avec le feu? demanda Amos en se concentrant sur ses masques de puissance.

Soudainement, les flammes des torches prirent la forme de petites boules qui se mirent à bondir sur les chevaliers. Croyant qu'il s'agissait de feux follets, les hommes de Barthélémy s'enfuirent à toutes jambes en direction de leur campement. Amos en profita pour éteindre les feux et briser les pots contenant l'huile, puis il reprit sa course vers Berrion et arriva très essoufflé aux portes de la ville.

– Qui va là? cria un garde au-dessus du mur.

– C'est moi... c'est... ouf!... Amos Daragon... Je viens pour... pour vous aider à combattre!

– D'accord, mais nous avons reçu l'ordre de maintenir la porte barricadée, répondit le garde en balançant une échelle de corde. Grimpez plutôt par ici, maître Daragon! Junos et votre mère seront très contents de vous revoir… Vous avez bien choisi votre moment pour arriver, Berrion a grandement besoin de vous…

– Merci bien! lança Amos en sautant sur le chemin de ronde. Savez-vous où je peux trouver Junos?

– Oui…, dit le garde en pointant du doigt le haut du donjon. Il est là avec les chevaliers vétérans et il observe les troupes de Barthélémy.

– J'y cours! Au revoir!

Quelques minutes plus tard, Amos arriva aux côtés de Junos. En le voyant, le seigneur explosa de joie:

– IL EST LÀ! IL EST LÀ! ANNONCEZ AU PEUPLE QUE LE PRINCE DE BERRION EST DE RETOUR! L'ESPOIR VA ENFIN RENAÎTRE!

– Il paraît que la situation est corsée? demanda Amos en donnant une chaude accolade à son vieil ami.

– Corsée?! s'exclama Junos. Je dirais plutôt: très épicée! Nous aurons bientôt droit à un bombardement en règle. Regarde par toi-même!

Amos prit la longue-vue que lui tendait Junos et étudia attentivement les mouvements de leurs adversaires.

– Ils préparent les trébuchets…, nota-t-il. Barthélémy donne des ordres! Wow! je ne l'ai jamais vu aussi fâché! Que lui arrive-t-il?

– J'ai kidnappé le commandant en chef de ses troupes, expliqua Junos avec fierté. Je crois bien que c'est pour cela qu'il est un peu en pétard!

Soudain, la musique d'une dizaine de trompettes retentit et des cris de joie envahirent la ville.

– Et ça, qu'est-ce que c'est? demanda Amos, les yeux écarquillés.

– L'annonce officielle de ton retour! s'écria Junos. Sartigan avait annoncé ton arrivée prochaine; j'ai donc promis au peuple le retour de son prince bien-aimé.

– Mais… mais Junos, je ne suis pas prince!

– Sois logique, Amos… Ta mère et moi ne sommes-nous pas mariés? Comme je n'ai pas de descendance, je t'ai désigné, toi, comme le futur roi de Berrion. Enfin… si nous survivons à cette attaque! Le peuple était enchanté de cette nouvelle, tu ne dois pas le décevoir!

– Eh bien… je n'en demandais pas tant!

– Nous comptons sur toi! Et maintenant, si nous pouvions nous trouver une façon de repousser les tirs des trébuchets…

– Hum…, fit Amos. De quelle taille environ sont les projectiles?

– Viens, je vais te montrer.

Junos et Amos redescendirent rapidement du donjon et se rendirent à la fontaine, où le premier boulet était tombé.

– Regarde…, dit le seigneur, c'est ce qui reste de l'obus de pierre qu'ils nous ont lancé… Il y en a un autre, mais il a explosé dans la boulangerie. Tu dois savoir que certains de ces boulets sont creux et qu'ils sont remplis d'huile bouillante avant d'être lancés.

– Celui-ci est énorme! s'écria Amos. Mais je crois bien que mes pouvoirs sur le vent seront en mesure de les faire dévier.

– Et comment comptes-tu t'y prendre?

– Je vais créer une tornade autour de la ville. Les vents nous serviront de protection… J'espère seulement avoir assez de puissance pour maintenir la protection le temps qu'il faudra.

– Très bien… Alors, allons te placer au bon endroit!

***

ATTAQUE ET DÉFENSE

Barthélémy faisait les cent pas en attendant que l'huile soit assez chaude pour remplir les boulets de ses trébuchets. Ses chevaliers s'étaient fait prendre comme des enfants par Junos et la situation l'enrageait au plus haut point. Par contre, le pouvoir de la toison d'or les avait bien protégés et ils s'étaient vite remis de leurs blessures. N'empêche que cette humiliation, subie dès le début de sa grande croisade, avait assombri ses plans de conquête.

– Comment est-il possible d'être aussi stupides! tonna le roi devant ses treize seigneurs. Je n'arrive pas à croire que mes chevaliers puissent se laisser prendre dans un piège aussi ridicule! Je vous rappelle que nous sommes à la guerre et pas dans une cour d'école… Toutes vos actions, bonnes ou mauvaises, sont lourdes de conséquences. Imaginez comme ils doivent rire et comme ils doivent se moquer de nous à Berrion! Junos doit se taper sur les cuisses de nous avoir enlevé si facilement une des pièces maîtresses de notre armée…

– Le seigneur de Myon aura probablement manqué d'attention, le défendit son collègue de Lys-sur-Mer. Ce n'est pas son genre de se laisser prendre aussi facilement… Il s'est laissé aveugler par la possibilité d'une victoire facile.

– Eh bien, répliqua Barthélémy, j'espère que vous serez un peu plus attentifs et un peu moins balourds que lui, ou sinon cette grande croisade s'arrêtera ici! D'ailleurs, sachez que si, comme lui, vous commettez une erreur aussi grossière, personne ne viendra vous secourir! Mon ancien commandant en chef des armées périra avec la ville de Berrion!

– Nous ne commettrons aucune étourderie, le rassura le seigneur de Grands-Vallons qui venait d'hériter du titre de commandant. Je vous garantis sur mon honneur que nos hommes seront prompts et vigilants.

– À la bonne heure! fit le roi en serrant les dents. Alors, quand serons-nous enfin prêts pour lancer la prochaine attaque? Je languis de voir enfin cette ville tomber sous le martèlement de notre artillerie lourde!

– Ça y est, nous sommes prêts, lui confirma le chevalier promu, nous attendions vos ordres!

– Alors, très bien! Allons-y, qu'on en finisse!

Le seigneur souffla trois fois dans son cor de guerre, signal convenu afin que les artilleurs ordonnent le remplissage des boulets. Une fois ceux-ci pleins d'huile bouillante, ils furent roulés dans leur panier de lancement et on arma les trébuchets. Dans le grincement terrible des machines, une vingtaine de bombes incendiaires prirent leur envol en direction de Berrion. Devant le spectacle, Barthélémy poussa un cri de joie qui fut cependant de courte durée. La première décharge des trébuchets ne toucha jamais la cible, car, au moment où les pierres allaient retomber sur la cité, une tornade d'une extra-ordinaire puissance enveloppa Berrion et les fit dévier. Venus d'on ne sait où, des vents d'une incroyable force formèrent un écran protecteur impénétrable. On aurait dit que les éléments avaient soudainement pris position pour le camp de Junos.

– Mais qu'est-ce qu'il se passe encore? Quelle est cette chose qui entoure la ville? lança Barthélémy, décontenancé, mais surtout furieux. On dirait une tornade!

– J'ignore de quoi il s'agit, répondit le nouveau commandant, mais il est évident que Berrion est prisonnière de ce tourbillon. On dirait bien que la nature est de notre côté et que les vents se chargeront, avant nous, de l'anéantir!

– Poursuivez le bombardement! ordonna le roi qui voulait mettre toutes les chances de son côté.

De nouveau, le cor se fit entendre et l'offensive reprit de plus belle. Une seconde volée de boulets se dirigea vers Berrion, mais sans plus de succès. Les grosses pierres rondes se fracassèrent sur la tempête comme de vulgaires cailloux.

Entêté, Barthélémy ordonna que soient projetées une troisième, une quatrième puis une cinquième vague de projectiles, mais aucune ne réussit à passer le mur de vent. Le roi, toujours en colère, invectiva les dieux jusqu'à ce que son commandant intervienne :

– Si nous continuons ainsi, nous manquerons très bientôt de munitions ! Je suggère que nous attendions la fin de la tempête et nous aviserons…

– Très bien, grommela le roi, contrarié. Que l'on cesse immédiatement les bombardements.

Une longue note de cor sonna l'arrêt des machines de guerre.

– Il semble évident que ce phénomène surnaturel protège la ville de toutes mes attaques, marmonna Barthélémy en retournant dans son pavillon. Avec la toison d'or, je suis invincible !

– Bien sûr que tu l'es ! lui répondit une voix dans la pièce. Tu n'arrives tout simplement pas à contrôler adéquatement le pouvoir de la toison !

– Que fais-tu là, Zaria-Zarenitsa ? demanda le souverain. Et depuis quand sais-tu prendre corps en plein jour ?

– Disons que mes pouvoirs gagnent en puissance depuis que tu possèdes la toison…, expliqua la déesse. Écoute maintenant, croyais-tu qu'on ne t'opposerait aucune résistance dans ta guerre pour la victoire du bien? Il y a des forces dans ce monde que tu ne dois surtout pas sous-estimer!

– Ce sont les fées du bois de Tarkasis qui ont fait cela, n'est-ce pas? Tu m'avais pourtant bien averti de faire attention à ces petites vermines… J'ai ordonné que l'on brûle cette forêt maudite!

– J'ignore si ce sont elles qui ont provoqué ces vents autour de Berrion, mais j'ai un moyen pour toi de le savoir.

– Lequel? Dis-moi vite…

– Tu vas utiliser le pouvoir de la toison d'or pour pénétrer dans le corps du chevalier qu'ils retiennent prisonnier.

– Je peux faire cela? s'étonna Barthélémy.

– Tu pourras faire beaucoup plus, mais commençons par ceci si tu veux bien… Installe-toi confortablement sur cette chaise…

Barthélémy alla d'abord demander à ses hommes qu'on ne le dérange sous aucun prétexte, puis il vint s'asseoir sur la chaise.

– Ferme les yeux, lui chuchota Zaria-Zarenitsa à l'oreille. Imagine que tu es lui… que tu es ce pion… ce pion que tu contrôles et qui te sert si loyalement… si loyalement qu'il te prête son corps… son corps et son âme… son âme est à toi… à toi… à nous…

***

LE ROQUE

À bout de forces, Amos s'effondra sous le regard catastrophé de Junos. Au même instant, la tornade protectrice se dissipa.

– VITE! ALLEZ CHERCHER LE DOCTEUR! hurla le seigneur en tentant de réanimer le garçon.

– Tout va bien, Junos…, dit Amos en rouvrant les yeux. Le sort m'a demandé beaucoup de concentration et… et il arrive parfois que ma magie m'épuise tout à fait. Je dois reprendre des forces, maintenant…

– VITE! QU'ON APPORTE QUELQUE CHOSE À MANGER! lança Junos, paniqué.

– Non, non… ce n'est pas en mangeant que je récupère le mieux, lui précisa le porteur de masques en se relevant. J'ai surtout soif et…

– VITE! NOUS AVONS BESOIN D'EAU! continua le seigneur, tout essoufflé.

Sous l'effet de son excitation, Junos ressentit des palpitations qui l'indisposèrent et lui firent perdre l'équilibre. Il se retrouva par terre, tout en sueur et haletant comme un chien. Heureusement, le docteur accourut en portant une gourde remplie d'eau et des gâteaux sucrés qui le soulagèrent de son mal.

Sartigan arriva sur ces entrefaites.

– Vos pouvoirs sont impressionnants, mon jeune élève…

– Merci, maître Sartigan, c'est toujours un plaisir de vous revoir ! Nous parlerons plus tard, je dois continuer de…

– Détendez-vous, jeune porteur de masques, les tirs ennemis ont cessé, le rassura le vieil homme. Il est certain que Barthélémy aura du mal à comprendre l'étrange phénomène auquel il vient d'assister. Cette tornade était bien contrôlée et d'une exceptionnelle puissance. Vos progrès sont remarquables ! Mais… mais où sont donc vos amis ?

– Ils sont partis chercher du renfort pour défendre Berrion. Je ne les attends pas avant des jours.

– Vous serez donc seul pour repousser l'ennemi ?

– Je compte sur vous et Junos pour me donner un coup de main !

– Cela va de soi, dit Sartigan en lui souriant, mais commencez par mâcher ceci. C'est une racine très spéciale qui vous aidera à retrouver votre concentration plus rapidement. Chez moi, les moines qui s'adonnent à la contemplation s'en servent pour garder leur esprit toujours aiguisé.

– Merci bien, répondit le garçon en croquant dans la racine. En tout cas, ce n'est pas très bon…

Soudain, des cris venant de la ville interrompirent la conversation d'Amos et de Sartigan. Tous deux se précipitèrent à la balustrade de la tour pour voir ce qui se passait. Le seigneur de Myon se débattait seul contre huit chevaliers. Par terre, cinq autres gisaient dans leur sang.

– Que se passe-t-il? demanda Amos à un garde du donjon.

– Il s'agit du prisonnier que nous avons capturé ce matin, répondit-il. Il est devenu fou! On dit qu'il a arraché la porte de sa cellule, à mains nues… Ce n'est pas un homme, c'est un démon! Chaque coup d'épée qu'il reçoit est comme une caresse et ses blessures se referment à une vitesse incroyable…

– Eh bien, fit Amos, il ne peut pas mieux tomber, j'en connais un rayon sur les démons, moi!

Amos descendit sans délai les marches du donjon, se joignit à la mêlée et fit signe aux chevaliers de Berrion de reculer.

– À ce qu'on dit, vous êtes un démon ! lança-t-il pour attirer sur lui l'attention du seigneur fou. De quel niveau des enfers êtes-vous ? Et quel maître servez-vous ?

L'homme se retourna et dévisagea Amos pendant de longues secondes.

– Aaaaah ! je comprends maintenant pourquoi mes attaques ont été neutralisées par un mur de vent ! dit en ricanant le seigneur de Myon, visiblement possédé. Mais comment se fait-il que tu sois encore vivant, petite vermine ? Tu as donc survécu à ton coma sur l'île du grand lac Ixion, hein ?

– Mais qui êtes-vous et que voulez-vous ?

– Je suis ton pire cauchemar et je veux ta mort ! hurla le seigneur en se jetant sur lui.

Comme le lui avait enseigné Sartigan, Amos ne bougea pas et concentra toute son attention sur le corps de son ennemi. En utilisant cette technique, il était possible d'anticiper, par l'observation des mouvements, les attaques de l'adversaire. Sans aucun mal, le porteur de masques évita un coup de poing et deux coups d'épée qui auraient pu lui être fatals.

– Mais dis donc, tu es habile ! se moqua le seigneur. Un vrai petit singe !

Amos esquiva une nouvelle attaque, mais cette fois, tel un dragon, il répliqua en faisant jaillir de sa bouche un jet de flammes qui propulsa son adversaire à une bonne distance en arrière. Sévèrement brûlé au visage, l'homme aurait dû avoir son compte, mais, contre toute attente, il se releva et fonça droit vers le garçon. Amos vit sa peau calcinée se régénérer.

– On ne se débarrasse pas de moi aussi aisément ! lança le seigneur avant de charger encore une fois.

Cette fois, en utilisant ses pouvoirs sur l'air, le porteur de masques créa une bourrasque qui souleva son ennemi de terre pour le laisser retomber avec fracas sur deux grands barils d'huile d'olive qui éclatèrent sous le choc. Couvert de liquide gras, l'homme tenta de se relever, mais il glissa et se retrouva la face contre terre. Il essaya de nouveau de se remettre sur ses pieds, mais fit un specta- culaire plongeon qui déclencha les rires du petit groupe qui observait la scène. Le seigneur avait l'air d'un poisson hors de l'eau. Impossible pour lui de se relever ni même de saisir son épée qui aurait pu l'aider à se tenir debout.

– Maintenant que j'ai réussi à vous maîtriser, dit Amos en s'approchant de lui, j'ai quelques questions à vous poser !

– Tu devrais être mort, vermine ! maugréa le seigneur. Je t'ai abandonné mourant dans l'île !

– Comment savez-vous tout cela ? demanda le garçon, très surpris par cette dernière affirmation.

– Je te laisse ce misérable ! poursuivit l'homme. Je n'ai plus besoin de lui et renonce à lui accorder ma protection… Tu n'auras qu'à interroger un mort !

Toujours possédé, le seigneur fut pris de convulsions et, soudainement, toutes ses blessures réapparurent sur son corps. Les brûlures qu'Amos lui avait infligées au visage refirent également surface. Le pauvre homme hurla de douleur et de désespoir :

– NON ! Ne me faites pas cela ! Ne me laissez pas, Barthélémy ! Mon roi, non, ne m'abandonnez pas !

L'instant suivant, il était mort.

***

NOUVELLE STRATÉGIE

– Dans mon pays, avait commencé Sartigan, on raconte l'histoire d'un jeune prince qui, il y a de cela très longtemps, hérita à la mort de son père d'un gigantesque royaume. La nature l'avait doté d'un port altier et d'un très agréable visage, mais avait oublié de lui donner un peu d'intelligence. Si bien que le nouveau roi se maria avec une princesse qui lui ressemblait en tous points et, bientôt, ils donnèrent naissance à une jeune héritière. Le bébé était superbe et dans ses yeux brillait la flamme d'un esprit supérieur. Plusieurs se demandèrent comment deux lampes éteintes avaient bien pu donner une aussi belle lumière? Je l'ignore aussi.

Les deux souverains, au lieu de se féliciter d'un si beau présent de la vie, s'écrièrent aussitôt: «Mais qu'elle est petite! De plus, elle est chauve et n'a même pas de dents! Notre fille est un monstre! Un monstre!» Plusieurs sages essayèrent en vain de les convaincre que tout était normal, puisque les enfants naissaient toujours ainsi. Mais le roi s'entêta: «Cette enfant n'est pas une vulgaire fille du peuple, c'est l'héritière du trône! Je veux que l'on fasse venir les meilleurs médecins du pays!»

C'est ainsi que les plus grands spécialistes du royaume accoururent et confirmèrent que l'enfant était d'une exceptionnelle beauté et qu'elle se portait très bien. Le roi entra alors dans une colère noire et demanda que l'on enferme tous les médecins dans une grande salle jusqu'à ce qu'ils trouvent une façon de guérir sa fille. Il leur donna vingt-quatre heures pour inventer un remède, sans quoi ils seraient jetés aux fauves. Découragés, les pauvres docteurs ne savaient pas quel médicament pourrait instantanément faire grandir la petite et lui donner de longs cheveux et de belles dents blanches.

Au terme du délai accordé, le roi pénétra dans la pièce, accompagné de ses bourreaux. «Alors, dit-il, où est ce médicament?» Tous les spécialistes demeurèrent muets à l'exception d'un vieil herboriste qui, depuis le début de l'enfermement, avait montré peu d'intérêt pour la question. Ce sage homme avait déjà rencontré des rois plus idiots et savait comment les satisfaire. «J'ai un remède pour vous, lança-t-il en se levant de son siège. Il s'agit d'une préparation très compliquée qui demande trois mille plantes et six cent douze minéraux répartis d'un bout à l'autre du pays!» Le roi sourit alors à pleines dents, il y avait bien un remède! «Ce qui me cause un problème, continua le sage, ce n'est pas cette très longue préparation, mais plutôt la fleur des cons. Cette plante, indispensable à mon médicament, ne pousse qu'au sommet des monts rouges à la seconde fonte des neiges et, sur ces montagnes, la glace ne se retire que tous les six ans. Cela veut dire que je peux commencer immédiatement le traitement et que, dans douze ans, à la première application d'un pétale de la fleur des cons, elle sera complètement guérie! Je crois que, pour la jeune princesse, il vaut la peine d'attendre tout ce temps.» Le roi explosa de joie: «Vous pouvez me garantir que, si nous commençons immédiatement les traitements, dans douze ans elle sera devenue belle et qu'elle aura des cheveux et des dents?» Le sage essayant de contenir son fou rire déclara: «Je vous le jure!» «Alors, faites votre prix, je vous engage!» conclut le roi.

– Que doit-on comprendre de cette histoire en regard de notre situation? demanda Junos, un peu impatienté. Vous me parlez de roi stupide et d'une fleur des cons, alors que nous sommes assiégés par une bande d'illuminés dirigée par un fou furieux!

– C'est pour vous faire comprendre que, comme dans le cas de la soi-disant guérison de la jeune princesse, répondit Sartigan, le temps est notre meilleur allié. Amos ne pourra pas créer des tornades protectrices à tour de bras sans s'épuiser complètement. Nous ne pouvons pas compter uniquement sur lui et sa magie, il faut trouver un bon moyen pour gagner du temps…

– Du moins, jusqu'à ce que Béorf, Médousa et Lolya reviennent avec des renforts, ajouta Amos. Il nous faut absolument ralentir les manœuvres de Barthélémy!

– Qu'est-ce qui pourrait nous faire gagner du temps ? demanda Junos qui n'arrivait pas à voir clair dans cette discussion. Je ne suis pas magicien, moi !

– Pensez-y deux minutes, Junos, insista le porteur de masques.

– Je ne vois pas !

– Les fées du bois de Tarkasis…

– Oui… oui…, fit le seigneur en réfléchissant sans toutefois voir la solution. Mais que peuvent-elles faire pour nous ?

– Je ne sais pas encore, avoua Amos, mais si vous le permettez, je vais les contacter ! Gwenfadrille m'a assuré de son aide, il ne reste plus qu'à coordonner nos actions.

Le porteur de masques se retira et créa une sphère de communication destinée à la reine des fées. Il y déposa son message, puis le laissa filer en direction du bois de Tarkasis.

– Voilà ! dit-il à Junos et à Sartigan. J'espère que nous aurons vite une réponse.

– Mais le plus grave problème n'est pas là, s'inquiéta le seigneur de Berrion. Nous avons bien vu, plus tôt, au cours de ton escarmouche avec le seigneur, que les hommes de Barthélémy sont invincibles ! Mon armée, elle, n'a pas la capacité de se guérir instantanément comme la sienne… Avant que tu ne l'arrêtes, cet homme a grièvement blessé cinq de mes meilleurs chevaliers ! Si nous devions en venir au corps à corps, mes hommes ne feraient pas long feu.

— Il y a toujours une solution à tout, affirma Sartigan en se caressant la barbe. Pour l'instant, je ne la vois pas, mais elle viendra, j'en suis certain.

— J'espère que vous voyez juste…, soupira Junos qui ne demandait pourtant qu'à le croire.

***

L'ATTAQUE DES NOIRS

Bonjour Gwenfadrille,

La ville assiégée de Berrion attend des renforts pour combattre les troupes de Barthélémy, mais ceux-ci n'arriveront que dans plusieurs jours. Nous devons impérativement gagner du temps afin d'être toujours là lorsque nos amis arriveront. Comme vous me l'avez si bien dit, j'en ai encore beaucoup à apprendre sur le pouvoir des fées et je vous demande dans quelle mesure vous pouvez nous aider. Nous avons besoin de temps ! Toute initiative de votre part sera grandement appréciée.

À la réception de ce message, Gwenfadrille convoqua une grande assemblée des fées de Tarkasis et leur fit part de l'appel à l'aide d'Amos.

– Mais qui veillera sur le bois si nous sommes toutes absentes? demanda une petite fée jaune. Nous ne sommes déjà pas assez nombreuses pour garder nos frontières!

– De plus, ajouta une autre, peut-être que notre messagère a déjà parlé au roi et que celui-ci comprendra qu'il doit immédiatement partir. La plupart des humains ont très peur des fées!

– J'ai promis à Amos Daragon de l'aider et je compte tenir cette promesse, déclara la reine avec autorité. Je sais que nous risquons gros dans cette affaire, mais il est peut-être temps de sortir de notre isolement et, par la même occasion, de condamner à la danse l'armée de ce méchant roi!

– Envelopper une armée complète dans une danse, mais c'est de la folie! s'écrièrent en chœur plusieurs fées. Cela aurait pour effet de nous affaiblir complètement... Nous ne pourrions plus défendre Tarkasis du tout...

C'est à ce moment que Gwenfadrille décida de demander à deux de ses servantes d'apporter le corps de la messagère.

– Je ne voulais pas vous en parler tout de suite…, dit-elle. Nous l'avons retrouvée à l'orée de la forêt. Elle a été écrasée comme un vulgaire insecte! Pour celles d'entre vous qui croient encore que ces humains qui assiègent Berrion craignent les fées, eh bien, détrompez-vous! Ce sont des barbares qui ont juré d'éliminer tout ce qui est différent d'eux…

– Comment ont-ils pu faire cela? demanda la petite fée jaune en sanglotant. Ce sont des monstres, de véritables démons!

– Notre destin est lié à celui de Berrion, continua Gwenfadrille, car si la cité de Junos tombe, nous tomberons avec elle. Nos royaumes dépendent l'un de l'autre et ne survivront pas seuls… Nous finirons toutes comme cette pauvre messagère si nous restons cachées ici! Il est maintenant temps d'agir…

Toutes comprirent qu'elles n'avaient pas le choix. Pour l'avenir de leur royaume, elles devaient répondre à l'appel d'Amos Daragon.

– Préparez-vous, lança la reine en se levant de son trône, nous partons immédiatement en direction des troupes de Barthélémy. Amos désire que nous lui donnions du temps, eh bien, c'est ce que nous ferons! Nous ferons danser toute cette armée aussi longtemps que nos forces nous le permettront! Je veux que chacune d'entre vous y mette toute la magie qu'elle possède.

***

L'IMMOBILITÉ DES BLANCS
Un long cri de rage se fit entendre dans le camp des chevaliers de Barthélémy. Encore une fois, le roi hurlait comme un goret à l'abattoir.

– Je l'ai vu de mes yeux! brailla-t-il en démolissant une chaise à coups de pied. Je l'ai vu! Il est là! La petite vermine est revenue!

– Mais, ô mon roi, que se passe-t-il? Qui avez-vous vu? s'empressa de demander le commandant des armées.

– AMOS DARAGON! J'ai vu AMOS DARAGON!

– Mais c'est impossible, nous l'avons laissé pour mort, il y a plusieurs semaines de cela, sur l'île du grand lac Ixion. Comment aurait-il pu survivre et se retrouver ici, en même temps que nous?

– C'est la question que JE ME POSE! SALE PETITE VERMINE! vociféra Barthélémy. Ne vous demandez plus d'où venait la tornade qui a protégé la ville lors de notre bombardement, c'était lui! Mais pourquoi ne l'ai-je pas étranglé de mes propres mains lorsque j'en ai eu la chance?! Ah oui! j'avais une stupide dette d'honneur envers lui, mais… mais maintenant nous sommes quittes et j'entends bien lui faire payer l'humiliation qu'il m'inflige…

– Mais comment pouvez-vous être certain que c'est bien lui, demanda le seigneur d'Olilie. Après tout, nous sommes très loin des murailles et…

– Parce que je viens de me battre en duel avec lui, imaginez-vous donc! répondit le roi. J'ai pris possession du corps de… de… comment vous expliquer?… Quoi qu'il en soit, je n'ai rien à vous expliquer! Nous allons réarmer les trébuchets et reprendre immédiatement le bombardement. Je sais que sa magie l'épuise vite et qu'il ne pourra pas maintenir l'effet de son sort pendant des heures. Nous catapulterons une pierre toutes les vingt minutes, pas plus, afin d'étirer autant que possible nos munitions, puis… Mais… mais qu'est-ce qui vous prend?

Devant lui, le commandant des armées s'était mis à taper du pied et des mains comme pour battre la mesure. Puis les autres seigneurs l'imitèrent, si bien qu'en quelques secondes tous les généraux commencèrent à danser sans s'occuper de leur roi. Barthélémy, qui n'entendait aucune musique et qui n'avait pas du tout envie de danser, quitta le pavillon.

Toute son armée, des fantassins aux cavaliers en passant par les archers et les artilleurs, courait dans tous les sens en suivant le rythme d'une musique imaginaire. De petites lumières volaient au-dessus du camp en y lançant une fine poudre argentée et particulièrement brillante. Grâce à la protection de la toison d'or, seul Barthélémy demeurait sourd à l'envoûtante musique des fées.

– Regardez-moi ces crétins ! maugréa-t-il en se dirigeant vers un trébuchet. Puisque je ne peux me fier à personne, eh bien, je ferai le travail moi-même !

En usant de l'incroyable force que lui procurait le pelage des dieux, le roi souleva tout seul un des énormes boulets de pierre pour le placer dans la machine. À l'aide de la manivelle, il remonta le mécanisme du contrepoids et se rendit au contrôle de tir.

« Prends ça, Amos Daragon ! » pensa-t-il en tirant avec rage sur le levier.

***

LES RATS BLANCS

Amos était en train de raconter à sa mère ses dernières aventures lorsqu'un garde pénétra dans le grand réfectoire du donjon. Frilla était attablée avec son fils et ils partageaient quelques biscuits et du thé fort. Ils furent dérangés au moment même où Amos relatait comment Gwenfadrille les avait sauvés, lui et ses amis, de l'enchantement de la flûte du roi des faunes.

– Que se passe-t-il encore ? demanda Frilla, exaspérée de ne jamais pouvoir passer un peu de temps avec son fils.

– Désolé de vous déranger, dit le garde, mais c'est le seigneur Junos qui m'a demandé de trouver maître Amos. J'ai un message pour lui !

– Alors, donnez-lui votre message, soupira Frilla qui se doutait bien qu'elle n'entendrait pas la fin de cette histoire. Tu me raconteras plus tard, Amos. Je vous le laisse, il est à vous…

– Il semble que votre message ait porté ses fruits, maître Amos ! se réjouit le garde. Montez au donjon, Junos vous y attend.

Amos gravit quatre à quatre les marches menant au sommet du bâtiment et y trouva Junos complètement hilare.

– Regarde, Amos, regarde ! lui lança le seigneur en lui présentant la longue-vue. Les fées sont intervenues et… Vois par toi-même !

En effet, les troupes de Gwenfadrille avaient capturé l'armée de Barthélémy dans une ronde temporelle. Tous les chevaliers semblaient paralysés, alors qu'en réalité ils bougeaient, mais très lentement. La danse si vive du début de l'attaque s'était transformée, grâce à la poudre argentée, en une lente chorégraphie comique. Seul Barthélémy ne semblait pas touché par le sort. Le roi essayait de faire fonctionner ses trébuchets, mais ceux-ci, également sous l'emprise des fées, refusaient de lancer leurs projectiles.

– Barthélémy est en furie! fit remarquer Amos, le sourire aux lèvres. Je le vois marcher de long en large, donner des coups de pied à ses hommes et invectiver les dieux!

– Profitons-en pour les attaquer, proposa Junos. Comme ils sont presque paralysés, nous pourrions facilement les avoir.

– Je ne crois pas que ce soit une bonne idée, répondit le garçon, l'œil toujours collé à la longue-vue. Quiconque entrera dans le rayon d'action des fées subira le même sort. Les armées de Berrion se feront alors prendre dans la ronde.

– Ah! ce que je peux être bête! Je n'y avais pas pensé!

– J'ai demandé aux fées qu'elles nous accordent du temps et c'est exactement ce qu'elles font, fit Amos en observant les agissements de Barthélémy. Si seulement nous pouvions savoir combien de jours elles les maîtriseront !

– Moi, elles m'ont bien gardé cinquante ans, ronchonna Junos. Ces fées peuvent les retenir des années entières si elles le désirent !

– Gwenfadrille a beau être très forte, ses pouvoirs ne pourront pas retenir longtemps autant de gens en même temps. La magie épuise rapidement ceux qui en font usage et plus un sort est puissant, plus il est exigeant…

– Bon, que faisons-nous alors ?

– Rien pour l'instant, mais peut-être pourriez-vous poster une vingtaine des meilleurs archers de Berrion à l'orée du bois de Tarkasis. Lorsque les fées y reviendront pour se reposer, je veux qu'elles voient que nous avons veillé sur leur demeure.

– Excellente idée, acquiesça Junos. Nous leur devons bien cela… Mais… mais que regardes-tu avec autant d'attention ?

– Je regarde Barthélémy qui… me regarde aussi ! Il sait maintenant que je suis en vie et il fera tout ce qui est en son pouvoir pour m'éliminer…

– Tu lis sur ses lèvres ou dans ses pensées ?

– Je vois dans ses yeux toute sa haine. Il répète sans cesse : « Tu mourras… Tu mourras… Tu mourras… »

– Il est vraiment furieux contre toi, alors que comptes-tu faire?

– Je vais faire preuve d'élégance et lui envoyer gentiment la main, dit Amos en s'exécutant, ça le mettra hors de lui! Voilà, il est rentré dans son pavillon en défonçant la porte.

– Pauvre type! Sans ses hommes, il ne peut rien contre nous.

– Je ne sais pas. Je ne connais pas bien les pouvoirs que lui accorde la toison d'or… Par contre, il se pourrait qu'il puisse…

Un léger tremblement de terre interrompit Amos.

– HÉ! QU'EST-CE QUE C'EST? EST-CE UNE ATTAQUE DE TRÉBUCHET? cria Junos à l'un de ses hommes sur le chemin de ronde de la muraille.

– JE L'IGNORE! répondit le chevalier. D'ICI, JE VOIS BIEN TOUS LES TOITS DE LA VILLE ET RIEN NE SEMBLE ENDOMMAGÉ!

– FAITES UNE RAPIDE ENQUÊTE ET REVENEZ VITE ME DIRE CE QU'IL EN EST!

– TRÈS BIEN, SEIGNEUR JUNOS! J'Y VAIS IMMÉDIATEMENT!

La ville trembla une seconde fois.

Amos songea d'abord à une attaque de géant. Les secousses ressenties lui rappelaient les pas d'Ymir qu'il avait rencontré dans les Enfers. Il scruta rapidement les alentours afin de s'assurer qu'aucun monstre n'approchait de la ville. Il n'y avait rien d'anormal à l'horizon.

– Mais quelle mauvaise surprise nous réserve encore ce Barthélémy?! s'énerva Junos.

– Est-ce que Berrion possède des couloirs souterrains? demanda le porteur de masques qui cherchait aussi une explication aux tremblements de terre.

– Non, aucun! assura le seigneur. J'ai moi-même dirigé tous les travaux de reconstruction après… après l'invasion des bonnets-rouges et… et le grand incendie qui a suivi.

Amos apprécia la délicatesse de Junos qui passa sous silence le fait que la ville avait brûlé à cause de la perte de contrôle de ses pouvoirs sur le feu. C'était arrivé à l'époque de l'assassinat de son père, et le garçon, encore trop ébranlé, avait laissé ses émotions le submerger.

– J'essaie de voir différentes possibilités, réfléchit Amos. Mais qu'est-ce qui peut faire trembler la terre ainsi? Tout semble normal, alors est-ce que cela pourrait être…?

– DES RATS! hurla soudainement le chevalier qui avait été chargé de l'enquête. DES RATS! IL Y A DES RATS PARTOUT

DANS LA VILLE! J'EN ARRIVE ET C'EST ÉPOUVANTABLE!

– Des rats?! s'étonna Amos. Ça alors, je m'attendais à tout, sauf à ça!

***

LA DÉFENSE DU ROI NOIR

Le garde avait dit vrai, car Berrion était envahie de rats affamés qui dévoraient tout sur leur passage. Beaucoup d'entre eux étaient arrivés en se faufilant en dessous de la grande porte de la ville, alors que les autres avaient jailli de crevasses sur la place du marché. De toute évidence, ces bêtes étaient à l'origine des deux précédents tremblements de terre. Tous les chevaliers se demandaient la même chose : comment ces rats avaient-ils fait pour secouer ainsi la cité et d'où arrivaient-ils en si grand nombre? Des questions auxquelles il n'y avait, pour l'instant, pas de réponses.

Les bestioles qui couraient partout en essayant de tout détruire étaient d'une taille impressionnante. Leur pelage avait un lustre doré rappelant les armures des chevaliers de Barthélémy. Ces milliers de rongeurs aux dents acérées cherchaient quelque chose dans la ville. Par groupes, ils arpentaient les rues en rangs serrés et saccageaient tout ce qu'ils trouvaient. Ils entraient dans les maisons et les commerces, et renversaient tout à l'intérieur. Heureusement, ils ne s'attaquaient à personne, se contentant de dévorer la nourriture et de souiller l'eau potable. Les habitants, paniqués, cherchaient à grimper sur n'importe quoi.

– Vite, Amos, cria Junos en se précipitant dans l'escalier du donjon, il faut faire quelque chose!

– Ces créatures sont sûrement un cadeau de Barthélémy, dit Amos en lui emboîtant le pas. Comme il sait qu'il ne peut plus rien faire tant que ses armées sont sous l'emprise des fées, il tente d'affamer notre population. Ces bestioles dévoreront toutes nos réserves de nourriture si nous n'agissons pas rapidement.

– Je suis bien d'accord! fit le seigneur. Mais que faire?

Amos sentit soudainement monter en lui une vague de panique. Lui qui était toujours si prompt à réagir ne trouvait maintenant pas la moindre idée. Il était hors de question d'utiliser le masque du feu pour se débarrasser de ces bêtes de peur d'embraser une deuxième fois la ville. Le masque de l'air était inefficace contre de si petites bêtes et il ne voyait pas comment utiliser celui de l'eau ou de la terre dans une telle situation.

– Il n'y a donc rien que je puisse faire pour me débarrasser de cette vermine ? murmura le garçon devant l'horrifiant spectacle.

– Vite, Amos ! le pressa Junos. Si on les laisse faire, il n'y aura bientôt plus rien de bon à manger dans cette ville.

– Je vais les brûler, murmura Amos, cédant à l'angoisse. Tant pis pour la ville si…

– REPRENEZ-VOUS IMMÉDIATEMENT ! tonna Sartigan derrière lui. NE VOUS AI-JE PAS ENSEIGNÉ À MAÎTRISER VOS ÉMOTIONS ? RESPIREZ ET RÉFLÉCHISSEZ !

Le regard d'Amos croisa celui de son maître et il comprit ce qu'il devait faire. Il s'installa paisiblement en position de méditation et respira profondément. Il ne se laissa plus influencer par le chaos qui régnait autour de lui.

« Je dois atteindre une meilleure conscience de moi-même et de mon environnement, se dit-il en prenant de grandes respirations. Je dois dissocier ma pensée de mes sensations afin de créer une séparation entre ma logique et mes émotions. Il me faut purifier mon esprit et aiguiser mes perceptions… La solution est en moi… La solution est en moi… »

Junos voulut demander à Amos ce qu'il fabriquait dans la position du lotus, alors que la ville était en train de se faire dévorer, mais Sartigan l'arrêta.

– Si vous voulez sauver Berrion, l'implora le sage, laissez-le réfléchir. Il est sur le point de trouver…

– Maître Sartigan, lança soudainement Amos, n'y a-t-il pas un dicton qui dit : « Quand le bateau coule, les rats quittent le navire » ?

– Oui, c'est exact, confirma le vieil homme.

– Alors, il suffit de faire couler Berrion pour se débarrasser des rats !

– Excellent ! s'exclama Sartigan. C'est une excellente idée !

– Mais Berrion n'est pas un bateau, objecta Junos, c'est une ville ! Je vois difficilement comment on peut faire couler une ville !

– Moi non plus, je ne sais pas, fit le vieux sage en rigolant, mais Amos, lui, il le sait ! Et c'est vraiment tout ce qui compte, pas vrai ?

Le porteur de masques se dirigea vers le grand puits de la place du marché. Il mit un pied de chaque côté du trou et commanda à l'eau de monter. La rivière souterraine qui alimentait le puits dévia alors de son couloir et remonta vers la lumière. Amos utilisa toute son énergie et sa concentration pour que toutes les fontaines et tous les puits de la ville débordent en même temps. Il redoubla d'effort pour aller chercher le maximum de puissance de son masque de l'eau et réussit à provoquer une véritable inondation dans Berrion. L'eau commença à déferler dans la rue en emportant des centaines de rats. Les puits se transformèrent bien vite en geysers et les fontaines vomirent des tonnes d'eau à la fois.

– Tel un navire, la ville coule! commenta Sartigan en regardant Junos du coin de l'œil.

– C'est épatant! s'écria le seigneur. Jamais je n'aurais pensé à cela. Regardez, les bestioles disparaissent toutes dans les canalisations et sous la grande porte, là-bas! On pourra dire qu'Amos Daragon vient encore de nous sauver du pire…

– Sans vouloir être rabat-joie, je crois que le pire est encore à venir.

– Oui, mais pour l'instant la population de Berrion ne souffrira pas de la faim et cela me réjouit grandement.

– Vous avez raison, Junos, il faut surmonter les épreuves une à une lorsqu'elles se présentent et ne pas anticiper le pire. C'est une grande leçon que vous me donnez aujourd'hui…

– Bon! fit le seigneur, voilà le ménage presque terminé. Allons féliciter notre sauveur et voir comment il se porte.

– Il aura sûrement besoin d'un peu de repos.

LES BLANCS PERDENT LEUR REINE

Barthélémy était en train de tout fracasser dans son pavillon. La rage lui avait fait pulvériser la plupart des meubles et c'est à son trône qu'il s'en prenait maintenant.

– Trois jours! maugréa-t-il en massacrant le dossier de son siège avec son épée. Trois jours! Trois jours!

– Ne perds pas tes forces inutilement, lui conseilla la voix de Zaria-Zarenitsa.

– Cela fait trois jours que mes hommes sont bloqués et je ne peux rien y faire! ragea le roi… Trois jours que je me promène pour me divertir, alors que je devrais mener mes troupes à la victoire… Trois jours que ces maudites fées nous empoisonnent la vie sans que je puisse nous en débarrasser… Trois jours de ma croisade qui sont perdus!

– Calme-toi, ce n'est pas ainsi…

– Oh! tais-toi, petite déesse minable!

– Je ne te permets pas de…

Barthélémy se jeta sur elle et la frappa violemment au visage. La déesse fit deux tours sur elle-même avant de s'effondrer par terre.

– Mais quelle espèce de déesse es-tu? continua le roi. Depuis quand les mortels ont-ils aussi facilement le dessus sur les divinités? Tu veux savoir ce que je pense de toi? Eh bien, je crois que tu n'as aucun véritable pouvoir dans ce monde!…

– J'ai de très grands pouvoirs, grogna la déesse en se relevant. Et ne me force pas à les utiliser contre toi!

– Ah oui? fit Barthélémy d'un air faussement surpris. Arrête, tu me fais peur! Vas-y, puisque tu es si forte! J'attends! Allez, ô grande déesse, envoie-moi la foudre! Réduis-moi en cendres! J'attends!

– Attention à ce que tu dis…

Le roi lui asséna alors un crochet qui la fit voler dans les airs avant qu'elle ne se fracasse la tête contre le sol. Elle eut beaucoup de mal à se remettre sur ses pieds. Une fois debout, Barthélémy la saisit par les cheveux et l'envoya valser contre son trône.

– Mais pourquoi donc n'utilises-tu pas tes pouvoirs contre moi, petite idiote? lui redemanda-t-il, fou de rage.

Le souverain n'obtint pas de réponse, mais comme il la menaçait de son épée, il l'entendit murmurer:

– Non, Seth… ne faites pas cela, maître, je peux encore vous être utile… Je vous en prie, je jure de me reprendre… Non… donnez-moi encore une chance, pour mes sœurs, j'ai la situation en main… Non… ne faites pas… NON! JE VOUS EN PRIE! NON!

Des vapeurs bleues s'échappèrent du corps de la déesse, ce qui fit reculer Barthélémy de quelques pas. Puis son corps commença à se fissurer comme de la porcelaine. Dans un éclair blanc, Zaria-Zarenitsa fut pulvérisée en une poussière blanche.

– Mais… qu'est-ce que?… Zaria-Zarenitsa? Seth!?

Le pavillon se métamorphosa lentement. Autour de Barthélémy, les murs de toile et de bois prirent l'allure d'une chapelle ancienne faite essentiellement d'ossements humains. Devant lui, confortablement assis sur un trône en or, un homme à tête de serpent l'observait en ricanant.

Barthélémy le pointa de son épée.

– Qui es-tu? Que me veux-tu? demanda-t-il avec nervosité.

– Tes questions sont claires et directes, comme je les aime, répondit l'apparition. Alors, je suis le dieu Seth et ce que je veux, c'est ton bien! Cela te suffit comme réponse?

– Ah! Seth, hein? C'est toi qui manipulais Zaria-Zarenitsa, n'est-ce pas?

– Oui, c'est bien cela! Sache aussi que c'est grâce à moi que tu possèdes la toison d'or et que tu pourras éliminer le mal de la surface de cette terre…

– Es-tu un dieu du bien ou du mal?

– Ni l'un ni l'autre. Disons que je suis le représentant d'un groupe de dieux qui t'appuient dans ta quête.

– Alors, pourquoi m'avoir manipulé par l'intermédiaire de Zaria-Zarenitsa?

– Parce qu'une belle femme gagne beaucoup plus vite la confiance d'un preux chevalier qu'un monstre comme moi, avec une jolie tête de serpent… Tu comprends?

– Oui, oui… parfaitement…

– J'avoue que tu as été particulièrement perspicace pour démasquer si vite notre envoyée, le complimenta Seth. Je croyais bien qu'elle pourrait te berner jusqu'à la fin de ta croisade.

– Cesse tes flatteries, répliqua abruptement Barthélémy. Je n'ai pas l'intention de te servir, pas plus que de combattre pour ta gloire. J'ai un travail à accomplir et j'entends y arriver sans toi!

– Mais je ne te demande rien, persifla Seth. Je veux simplement te dire que les dieux sont avec toi et que nous gardons un œil attentif sur tes progrès… progrès qui pour l'instant sont assez minimes, je dois bien le dire, mais nous ne perdons pas confiance en ta capacité de mener à bien cette grande croisade. Que les choses soient claires entre nous : si tu as besoin d'aide, ne te gêne pas pour en demander. Les dieux peuvent accorder de grands privilèges aux mortels, mais ceux-ci doivent d'abord être réceptifs !

— Merci de cette proposition, répondit le roi, j'en prends bonne note.

— Je dois filer maintenant, fit Seth avec un sourire qui dévoila ses deux immenses canines. Zaria-Zarenitsa ne t'embêtera plus à l'avenir… D'ailleurs, elle n'existe même plus ! Bonne chance, Barthélémy… Les dieux sont avec toi !

Tout doucement, la chapelle d'ossements disparut pour faire place au pavillon d'origine.

Barthélémy eut alors l'étrange sensation de sortir d'un mauvais rêve et se sentit légèrement étourdi. Il chercha à prendre appui sur un meuble quelconque, mais comme il les avait tous réduits en morceaux, il perdit pied et se retrouva allongé par terre.

— Mais qu'est-ce que c'était que cette hallucination ? se dit-il à voix haute tout en se redressant pour s'asseoir sur ce qui restait de son trône. Ai-je bien vu ce que j'ai vu ? À moins que ce ne soit un effet secondaire des pouvoirs de la toison d'or... Pourtant... Seth... il me semble avoir déjà entendu ce nom quelque part...

***

LE ROI NOIR
CONSOLIDE SES POSITIONS

Lorsque l'eau s'était retirée de la ville en emportant avec elle tous les rats, la population avait porté Amos en triomphe jusqu'au donjon. Jamais on n'avait vu une cité assiégée si joyeuse et si débordante de vie. De toute évidence, les gens de Berrion avaient une foi inébranlable en leur seigneur Junos ainsi qu'en Amos, leur jeune prince.

– Je ne veux pas obscurcir votre joie, leur dit Amos, mais je vous rappelle que nous n'avons pas encore gagné la partie. Nous n'avons plus que quelques jours de paix devant nous avant que ne reprennent les hostilités, et Barthélémy sera plus décidé que jamais à nous mettre à genoux. Nous devons être forts et nous appuyer les uns sur les autres pour traverser les épreuves à venir. Continuons à nous battre pour la justice et la diversité de notre monde. L'avenir de nombreux peuples dépend de notre capacité à repousser les attaques ennemies.

Les habitants de la ville applaudirent chaleureusement ces paroles, mais, sous d'autres cris de joie, ils entreprirent malgré tout de faire la fête. Comme si personne n'avait pris au sérieux la petite allocution empreinte de sagesse du porteur de masques.

– Tu ne vas pas t'amuser un peu? demanda Frilla à son fils. En tout cas, les musiciens, eux, ont de l'énergie à revendre!

– Non, je n'ai pas l'esprit à la fête, répondit Amos. De toute façon, cela ne me semble guère approprié pour le moment. Je te rappelle que nous sommes en guerre et qu'il y a mieux à faire.

– Ce que tu peux être vieux pour ton âge! dit Frilla en lui caressant la tête. Tu es beaucoup trop sérieux! Regarde, même Sartigan s'amuse… Vois comme il tape du pied en regardant les autres danser. Les gens ont besoin de se divertir pour oublier que le pire est encore à venir.

– En effet, intervint Junos, on fête le changement des saisons, les vendanges et les semailles, la moisson et la nouvelle lune. Nous fêtons même le souvenir des morts, alors pourquoi ne pas célébrer le siège de la ville?!

– Mais… ça n'a aucun sens, répliqua Amos. En plus, je m'inquiète pour Béorf,

Lolya, Maelström et Médousa qui ne doivent sûrement pas avoir la vie facile en ce moment… Je n'arrête pas de penser à eux.

– Raison de plus pour t'amuser! assura Junos. S'ils étaient à ta place, j'ai la certitude qu'ils en feraient autant, surtout Béorf! En tout cas, moi, j'ai bien envie de profiter de cette danse, tu viens?

– Si tu permets, Amos…

– Oui, oui… Allez-y…

Comme il n'avait vraiment pas le cœur aux festivités, le garçon décida de monter au donjon pour admirer le coucher de soleil. Il adorait particulièrement ce moment de la journée qui lui permettait de méditer en paix. Comme le lui avait enseigné Sartigan, Amos se mit en position du lotus et respira profondément.

Peu de temps s'était écoulé lorsqu'un gros corbeau se posa à côté de lui. L'oiseau tenait dans son bec un objet qu'il laissa tomber près du porteur de masques. C'était une somptueuse pierre bleue.

– C'est un caaadeau des nymphes! Elle eeest à toi!

– Des nymphes!? s'étonna le garçon qui n'en avait pourtant jamais rencontré.

Amos savait, pour l'avoir lu dans *Al-Qatrum, les territoires de l'ombre*, qu'il y avait plusieurs sortes de nymphes et que leur rôle était de préserver, mais surtout de rehausser la beauté de la nature.

– Wow! Mais lesquelles m'envoient donc ce cadeau? demanda-t-il à son visiteur ailé. Les Dryades, les Napées, les Néréides ou?…

– Je ne sssuis que le messager, l'interrompit le corbeau. Les nnnymphes me demandent seulement de te dire qu'elles implorent ta protection contre le roi Barthélémy Ier et ses hommes. Elles dddemandent que tu fasses tout ce qui est en ton pouvoir pour que les chevaliers du souverain ne progressent pas davantage vers le nord. Ceci eeest un respectueux présent de leur peuple…

Le garçon savait aussi que les nymphes ne se dévoilaient que très rarement aux mortels de peur de les envoûter par un très dangereux charme d'amour. Ces créatures étaient apparemment si belles que personne n'avait jamais réussi à trouver les bons mots pour les décrire.

– J'aiderai les nymphes avec grand plaisir et je n'ai pas besoin que l'on paie mes services, répondit-il. Garde cette pierre précieuse, j'ai beaucoup de richesses et je ne suis…

– Porteur de masques! ne reeeconnais-tu pas une pierre de puissance quand tu en vois une? croassa l'oiseau.

– Une pierre de puissance? Mais oui, c'en est une! s'exclama Amos en ramassant la pierre bleue sur le sol.

– Elle ttte sera plus utile qu'aux nymphes, continua le corbeau. Lorsque qqque tu as commandé à la rivière souterraine d'inonder la ville, mes maîtresses ont senti des lacunes dans ton pouvoir sur les eaux. Elles eeespèrent ainsi pouvoir t'aider à compléter ta quête des pierres…

– Eh bien, dans ce cas, fit joyeusement Amos, j'accepte avec joie! Tu diras aux nymphes que je les remercie de tout cœur. Dis-leur aussi que je ferai tout pour arrêter Barthélémy dans sa folie!

– Au rrrevoir et bonne chance! lança l'oiseau avant de s'envoler.

Le porteur de masques saisit délicatement la pierre et la posa au centre de sa paume. La magie opéra immédiatement et sa main prit une texture liquide et incolore. La pierre sombra aussi lentement qu'une embarcation qui prend l'eau, puis finit par pénétrer son corps. Tout le métabolisme du garçon commença à changer et, d'un coup, son corps se mua en flaque d'eau.

– Amos! appela Frilla en escaladant les marches du donjon. Viens nous rejoindre, Amos! Sartigan m'envoie te dire que tu dois t'amuser un peu… Tu es là, mon chéri?

Frilla ne trouva pas son fils en haut du donjon ; elle n'y vit qu'une grande flaque d'eau dans laquelle elle se mouilla les pieds.

« Mais qui a pu faire ça ?! se demanda-t-elle, perplexe. Bon, j'enverrai une servante pour éponger... »

3
La reine des noirs
se positionne

Médousa volait sur le dos de Maelström
depuis plusieurs jours et elle était fatiguée. Les
deux compagnons avaient fait plusieurs haltes
durant leur voyage, mais les horaires de vol
avaient chamboulé l'horloge biologique de la
gorgone. En effet, le dragon se devait de
prendre mille précautions afin de ne pas se
faire remarquer et, pour cela, il ne volait
presque jamais de jour. Les nuits étaient donc
très longues et les endroits sombres pour
récupérer durant la journée, difficiles à déni-
cher. De plus, les lieux de repos se trouvaient
la plupart du temps dans des lieux reculés et le
confort était souvent rudimentaire. Alors que
Maelström semblait toujours bien dormir,
Médousa, elle, restait éveillée de longues heures
à imaginer avec angoisse son retour à la cité de
Pégase. La gorgone appréhendait le moment
de revoir les icariens et s'affolait en pensant à

son rôle de déesse. Serait-elle à la hauteur? Le peuple de Pégase la reconnaîtrait-il? Et puis, comment convaincre une armée d'icariens de la suivre dans une guerre dont ils ne connaissaient aucun des protagonistes. La gorgone avait tant de questions et si peu de réponses…

– Tu dors, petite sœur? lui demanda Maelström qui planait au-dessus des montagnes.

– Non, je réfléchis…

– Désolé de te déranger alors, j'ai interprété tes soupirs comme des ronflements et je ne voulais pas que tu tombes. Dis-moi, tout va bien?

– Je suis fatiguée et de plus en plus nerveuse! confessa Médousa. Je crains que les icariens refusent de nous écouter. Et puis, tu sais, je ne veux surtout pas décevoir Amos… Pour une fois, il compte entièrement sur moi pour l'aider et je veux être à la hauteur.

– Nous serons bientôt fixés, répondit le dragon. Si je me fie à mon sens de l'orientation, nous arriverons à la cité de Pégase tout juste avant le lever du soleil. J'espère que tu as bien répété ton numéro de déesse! Hé! hé! hé!

– Cesse de dire des bêtises, petit frère, ou je te donne une correction «divine»! blagua la gorgone à son tour.

– Et qu'est-ce qu'une correction « divine » ?
fit le dragon en rigolant.

– Je te transforme en crapaud !

– Oh là là ! Alors, pardon, je ne veux pas
finir dans un marais puant !

Quelques heures de vol s'écoulèrent dans
le calme de la nuit, puis doucement les
premiers rayons du soleil vinrent caresser le
ventre du dragon.

– Regarde, je crois que c'est là-bas ! dit
enfin Maelström en pointant du museau une
très haute montagne.

– Oui, je suppose que tu as raison…
mais… mais qu'est-ce que je vois, là ?

– On dirait qu'une troupe d'icariens vient
vers nous !

En effet, une volée d'hommoiseaux en
formation se dirigeait vers les deux voyageurs.
Ils étaient une cinquantaine au moins, tous
armés d'arcs et de flèches, mais ils ne
montraient aucune forme d'hostilité. Les
soldats se contentèrent de manœuvrer autour
de Maelström et de Médousa pour les escorter
jusqu'à la Ville pourpre. Avant de se poser à
la porte du Midi, le cortège fit trois tours à
basse altitude, juste au-dessus de la cité de
Pégase, pour signaler à la population de la
Ville impériale et de la Ville royale le retour
de la déesse.

– Ça m'a tout l'air qu'ils nous attendaient, glissa tout bas Maelström à Médousa. Souris, tu as l'air crispée…

– Je ne suis pas du tout crispée, rétorqua la gorgone, je suis terrorisée!!! Mais qu'est-ce que je vais bien pouvoir leur dire?!

– Commence d'abord par leur dire qu'ils nous apportent à manger, proposa le dragon, je suis mort de faim!

Durant leur parade dans les airs, Médousa constata que des centaines d'icariens étaient en prière, alors que d'autres pleuraient à chaudes larmes en l'acclamant. Des couronnes de fleurs fusaient à gauche et à droite, puis un groupe d'enfants lui tendit, en plein vol, deux immenses bâtons d'encens.

À l'atterrissage à la porte du Midi, c'est l'oracle des oracles qui, toujours alerte malgré son âge très avancé, vint les accueillir. Tous les notables de la Ville pourpre, incluant les nouveaux dirigeants de la cité, s'agenouillèrent devant la gorgone en signe de respect.

– Je vous avais prédit son retour, dit l'oracle des oracles à l'attention des personnalités, et elle est revenue! Ce matin, notre déesse a emprunté le dernier rayon de lune de la nuit et, chevauchant sa bête céleste, nous fait l'honneur d'une très rare visite! VIVE LA DÉESSE!

– QUE NOS ÂMES S'ENVOLENT AVEC ELLE AU JOUR VENU! ajouta en chœur l'assistance.

– Faites-moi l'honneur d'accepter mon aide pour descendre de votre monture, proposa le très vieil homme en lui tendant la main.

– Euh… euh… oui! s'empressa de répondre Médousa, mal à l'aise. Avec plaisir…

Lorsque la gorgone posa le pied par terre, quelques icariens tournèrent de l'œil et s'affaissèrent sur le sol. L'émotion avait été trop forte!

– OUI, MES FRÈRES! LA DÉESSE ELLE-MÊME FOULE NOTRE SOL! ELLE FOULE NOTRE SOL! cria l'oracle, passablement excité. QUEL HONNEUR! QUELLE GRÂCE DIVINE!

– Merci… merci pour tout… Je suis touchée de votre accueil…

– ELLE EST TOUCHÉE! hurla de plus belle le vieil homme, près de la défaillance.

– Ce n'est pas la peine d'en faire autant… Vraiment, je…

– Venez, ô grande déesse, que je vous montre les offrandes!

– Est-ce que ma… ma monture céleste peut nous accompagner?

– Mais vous êtes chez vous et n'avez de permission à demander à personne, l'informa solennellement l'oracle. Faites comme bon vous semble, ô déesse!...

Alors qu'ils suivaient l'oracle des oracles, le dragon se serra contre Médousa et lui murmura à l'oreille:

– Il ne faudrait pas qu'ils oublient de nous servir le petit-déjeuner! S'il te plaît, j'aimerais avoir une douzaine de douzaines d'œufs, trois cochons bien gras et une marmite de thé chaud avec un nuage de lait. C'est noté?

– Si tu ne te tais pas tout de suite, je leur dis que les «bêtes célestes» ne mangent que des rayons de lune! répliqua la gorgone, un peu irritée par tout ce cirque.

– Je ne dis plus un mot..., se résigna le dragon, mais n'oublie pas le nuage de lait! Cela fait toute une différence dans le thé...

– Ferme-la deux minutes, veux-tu?

– Je suis muet, petite sœur... mais si jamais tu entends des sons, sache que c'est mon estomac qui hurle.

– Pff! on croirait entendre Béorf...

L'oracle des oracles les conduisit à un gigantesque mausolée où trônait Aélig pétrifiée. Partout autour du monument, les icariens avaient déposé des pièces d'or et des bijoux, de petites statuettes de marbre, des pierres précieuses et des vases anciens, des armes d'une inestimable valeur et des soies fines. Un trésor colossal attendait le retour de la déesse.

– Toutes ces offrandes sont pour vous, ô mère des mères! ô génitrice de Pégase! notre dieu!

– C'est… c'est… c'est beaucoup trop… Je…

– Acceptez ces humbles présents de la part du peuple qui vous aime et vous vénère infiniment!

– Qu'en penses-tu, Maelström? lança en douce la gorgone. Maelström, tu m'écoutes?

Non, le dragon ne l'écoutait pas, subjugué qu'il était par le trésor. Pour comprendre l'état de choc dans lequel il se trouvait, il faut savoir que les dragons possèdent une fascination exacerbée pour les richesses. Il est dans leur nature de vouloir, à un moment de leur vie, accumuler une gigantesque fortune pour s'en faire un nid. Malgré son comportement très humanisé et très différent des autres bêtes de feu, l'instinct du «trésor» venait de le rattraper brutalement.

– Je le veux, grogna-t-il entre les dents. Je le garde!

– Qu'est-ce que tu dis? lui demanda Médousa, pas certaine d'avoir bien entendu.

– Le trésor… je le veux! répéta-t-il avec force.

– Alors, très bien ! Prends-le, je te le donne…, lui répondit la gorgone, troublée par ce changement si soudain de son comportement.

Maelström se sépara alors de Médousa et de l'oracle et s'avança religieusement vers l'amas d'objets précieux. On aurait dit que le dragon était tombé amoureux, et c'est avec mille précautions qu'il s'enroula autour du mausolée pour confortablement se caler ensuite dans le trésor. Il posa la tête sur quelques rouleaux de soie, soupira de bonheur et sombra bien vite dans un profond sommeil.

– Je constate avec joie que vous acceptez nos humbles présents, affirma gaiement l'oracle des oracles. Le peuple sera immensément heureux d'apprendre que vous y avez joint ce que vous avez de plus cher…

« Ce que j'ai de plus cher s'y est plutôt déposé lui-même », pensa Médousa, encore renversée par l'attitude de Maelström.

– Avant de vous guider vers votre résidence dans le Temple interdit où vous trouverez de quoi vous restaurer, fit le vieil homme, laissez-moi vous conduire au pavillon des banquets où les citoyens de la cité vous adresseront leurs demandes…

– Euh…, hésita Médousa, j'aimerais vous parler d'une chose importante avant…

– Tout ce que vous voulez, chère déesse, mais le peuple attend et… et vous comprenez que les icariens sont tous si heureux à l'idée de vous voir…

– Très bien, fit-elle, nous discuterons plus tard.

Lorsque Médousa arriva au pavillon des banquets, la nombreuse assistance s'agenouilla encore une fois. C'est alors que la gorgone aperçut, à partir du fond de la salle, une file d'icariens attendant à la queue leu leu que leur déesse leur accorde une audience. Il y en avait des centaines !

« Mais dans quoi me suis-je embarquée ? » se dit-elle, découragée par l'ampleur de la tâche à accomplir.

– Prenez place ici, je vous en prie, lui indiqua l'oracle des oracles. Nous avons d'abord préparé un petit spectacle pour votre arrivée. Il s'agit des enfants de la Ville pourpre qui vous présenteront quelques danses folkloriques.

– Bien, bien…, répondit Médousa en prenant son courage à deux mains, j'en suis très heureuse. Vous pouvez commencer !

Ce que l'oracle des oracles ne lui avait pas dit, c'est qu'après les seize danses qu'exécutèrent les enfants, ce fut au tour des dix-huit chorales de la cité, des neuf groupes de musiciens et des trois troupes d'opéra traditionnel de défiler sur la scène. Les requêtes des icariens furent encore retardées par la présentation exhaustive des nouvelles politiques gouvernementales des trois villes. C'est en suivant la *Charte des droits des habitants de la cité de Pégase* et la *Charte des devoirs du gouvernement de la cité de Pégase*, que l'oracle des oracles avait présidé les élections libres dans chacune des trois villes afin d'y élire des dirigeants responsables qui avaient ensuite procédé à la mise sur pied d'un système de justice équitable. Des réformes sur l'éducation, les droits des sans-ailes et la légalisation des échanges commerciaux par voie aérienne avec, entre autres, le peuple des luricans de l'île de Freyja, étaient sur une excellente lancée. Bref, les chartes avaient eu une influence significative sur la reconstruction politique de la ville, et c'est de long en large que les élus exprimèrent finalement leur vision du futur.

Après l'interminable cérémonie, quoique affamée et terriblement fatiguée, Médousa put enfin écouter toutes les demandes du peuple. C'est un à un que les icariens de la Ville pourpre, de la Ville royale et de la Ville impériale se prosternèrent devant elle en la priant soit de guérir un parent, soit de leur accorder la santé, soit de veiller sur leurs enfants ou encore de leur octroyer de meilleurs moyens financiers pour acquérir une nouvelle maison ou mettre sur pied le petit commerce dont ils rêvaient depuis toujours. Patiente, la gorgone écouta respectueusement chaque personne et lui promit qu'elle ferait tout son possible pour exaucer ses vœux. Le plus étrange, c'est que, durant cette journée, plusieurs icariens handicapés furent miraculeusement guéris. Certains recouvrèrent spontanément l'usage d'une aile, d'un pied tordu ou d'un bras déficient, et deux aveugles virent la lumière du jour pour la première fois. C'est complètement épuisée et au bord de la crise de nerfs que la gorgone regagna, tard le soir, ses appartements du Temple interdit. La jeune déesse s'effondra, sans être capable d'avaler quoi que ce soit, sur le lit le plus moelleux du monde, puis glissa tout de suite dans le sommeil.

Au matin, l'oracle des oracles entra dans sa chambre sans frapper avec un escadron de trente serviteurs portant chacun un plat. Ils déposèrent le tout sur les tables autour du lit afin que la déesse puisse se nourrir sans avoir à se lever. Lorsqu'ils quittèrent tous la pièce, c'est Maelström qui atterrit sur la terrasse, ce qui empêcha Médousa de se rendormir comme elle le souhaitait.

– Ouvre ! lui demanda le dragon, c'est moi…

– Les déesses ne peuvent donc jamais avoir la paix ! s'irrita la gorgone qui, les yeux encore mi-clos, alla ouvrir la porte de la terrasse.

– Désolé pour hier…, commença Maelström. Je ne sais pas ce qui m'a pris… Le trésor m'a complètement chaviré… Par contre, j'ai tellement bien dormi, si tu savais ! Hier, je t'ai parlé d'un petit-déjeuner que…

– Eh bien, moi, je manque de sommeil ! Ça suffit ! Entre, mange tout ce que tu voudras, mais LAISSE-MOI DORMIR !

Médousa sauta alors par-dessus les tables et atterrit en soupirant de bonheur dans la chaleur de son lit de plumes.

– Pour l'armée… il faudrait leur demander… tu te rappelles ? dit Maelström en avalant d'un trait un petit cochon rôti.

– Je t'ai demandé de me laisser dormir, grogna la gorgone.

– Désolé… Hum… c'est juste qu'Amos compte sur nous et que le temps file…

– Ferme-la, Maelström !

– Ce serait idiot d'arriver une fois la bataille terminée, insista le dragon en continuant à s'empiffrer.

– Merci ! Merci bien de me culpabiliser de vouloir rester au lit encore un peu ! J'ai eu une journée infernale hier ! Tu entends ?

INFERNALE! Pff! et puis, passe-moi le plat de fourmis confites, s'il te plaît!

— Alors, tu ne veux plus dormir?

— D'après toi, gros bêta, est-ce que j'ai l'air de vouloir dormir? Tu m'as tellement énervée que je suis tout à fait réveillée maintenant!

— Alors, qu'est-ce qu'on fait pour l'armée? Tu leur demandes directement ou tu procèdes par sous-entendus?

— Je ne sais pas encore... C'est délicat...

On frappa à la porte de la chambre.

— Encore?! s'exclama Médousa. Décidément, je ne serai jamais tranquille!

— C'est exigeant, la vie de déesse, se moqua le dragon.

— ENTREZ! cria la gorgone. Au moins, ce coup-ci, on a eu la décence de frapper.

Un soldat icarien ouvrit la porte, mais n'osa pas entrer. La tête basse en signe de soumission, il annonça à Médousa que ses troupes étaient prêtes pour l'inspection finale avant leur départ, puis il disparut en refermant la porte derrière lui.

— Une inspection finale des troupes?! s'étonna la gorgone. De quoi il parle, celui-là?

— Je l'ignore, mais tu devrais vite te préparer, ils t'attendent...

— Tu sais, Maelström, je déteste la vie de déesse!

– Ne crains rien, petite sœur, lui dit le dragon, je surveillerai le buffet pendant ton absence !

– Ouais, c'est ça…

Médousa se leva, passa dans la salle d'eau pour faire sa toilette, puis enfila une des magnifiques robes qu'on lui avait laissées. Avant de sortir de la chambre, elle jeta un coup d'œil vers Maelström. Le dragon avait dévoré presque tous les plats et se faisait maintenant chauffer le ventre au soleil sur la terrasse.

C'est l'oracle des oracles qui accueillit Médousa dans le couloir du temple pour la conduire dans les jardins de la Ville pourpre. À côté du mausolée d'Aélig, deux mille archers icariens l'attendaient au garde-à-vous.

– Mais qu'est-ce… qu'est-ce… ? balbutia la gorgone sans pouvoir rien dire d'autre.

– Ce sont vos soldats ! lui annonça le très vieil homme. L'armée dont vous avez besoin pour faire la guerre au démon doré…

– Comment avez-vous su ? demanda Médousa, sidérée, je ne vous avais encore rien demandé !

– Sans vouloir vous blesser, chère déesse, je suis un oracle et je sais lire l'avenir… J'avais prévu la journée et même l'heure exacte de votre retour ! J'ai aussi vu dans les astres la terrible menace qui se lève actuellement dans l'Ouest et j'ai compris que la cité de Pégase avait un rôle important à jouer pour l'équilibre du monde. Depuis des mois, je prépare nos troupes à combattre celui que j'appelle « le démon doré », un chevalier d'une terrible puissance !

– Dans ce cas, il est temps que je vous avoue que je ne suis pas une…

– Que vous n'êtes pas une déesse ? ! continua l'oracle des oracles. Je m'en doutais un peu… Mais, pourtant, vous avez accompli des miracles pour plusieurs d'entre nous et cela justifie amplement le titre que vous portez… Le peuple a besoin de croire et les icariens ont foi en vous.

– Vous êtes un homme très sage, le complimenta Médousa. Vous me rappelez maître Sartigan, un ami que j'estime beaucoup.

– Si je vous rappelle cet homme, c'est qu'il doit être vieux, très vieux même ! blagua l'oracle des oracles. J'ai beaucoup d'admiration pour vous, Médousa, surtout depuis hier, vous avez été parfaite en tous points durant les cérémonies qui ont entouré votre arrivée. Vous avez été patiente et attentive à chacune des requêtes qui vous a été adressée et votre humeur est restée constante… Il y a beaucoup de tendresse et de fragilité dans votre âme. C'est une qualité remarquable…

– C'est normal car, après tout, je suis une déesse, non ? plaisanta la gorgone qui commençait à se détendre.

– De plus, vous avez un remarquable sens de la répartie ! ajouta en riant l'oracle des oracles. Bon... maintenant, si vous voulez bien, revenons à nos moutons... Ces archers sont tous des volontaires qui ont délibérément choisi de combattre aux côtés de leur déesse. Dès maintenant, vous êtes leur générale !

– Bien..., fit en déglutissant la gorgone qui ignorait tout des postes de pouvoir. J'aimerais partir le plus vite possible et... je me sens un peu mal à l'aise de demander cela... mais pourrions-nous prendre le trésor avec nous ? Je crois que ma bête de lune en est tombée amoureuse...

– C'est votre trésor, chère déesse, pas le mien... vous en faites ce que vous voulez !

– Merci... merci bien. Je crois que je vais la rendre très heureuse ! Bon, alors, je crois bien que... que nous partirons dans deux heures vers la ville de Berrion.

– Je vous laisse l'annoncer vous-même à vos soldats !

4
Trait au cavalier noir

Après avoir franchi la porte des fées, Béorf aperçut une faible lumière au bout d'un long tunnel ressemblant à un terrier de lapin. Il rampa assez longtemps avant d'atteindre la sortie, puis réussit, non sans difficulté, à s'extirper du trou. En luttant contre une racine qui lui retenait un pied, il se frappa la tête contre une des pierres du dolmen, ce qui eut pour effet de le déséquilibrer et de le faire chuter dans un buisson de ronces.

– Aïe! cria-t-il en s'appuyant sur Gungnir pour se relever. Saleté d'épines! Je suis tout éraflé! Bon, voilà que mon front saigne, maintenant!

Comme le garçon essuyait sa plaie, un orage soudain éclata et des trombes d'eau lui tombèrent sur le dos.

« Il ne manquait plus que ça, grogna Béorf en se mettant à l'abri sous un arbre. Me voilà perdu dans une forêt que je ne connais pas, juste à côté d'un dolmen pourri! Décidément, y a des jours où je devrais rester couché… »

– Ohé! y a des fées, ici? cria-t-il. Ohé! les Brisings, montrez-vous un peu!

Comme seule réponse, il n'entendit que le gargouillement de son estomac.

«Et je n'ai rien apporté à grignoter pour le voyage… Bon, qu'est-ce que je fais maintenant?»

D'expérience, Béorf savait que, pour survivre dans des conditions difficiles, il lui fallait à tout prix éviter la panique et trouver de l'eau potable. Heureusement, il avait la bonhomie d'un ours et ne s'affolait que très rarement.

«Faisons le point, se dit-il en examinant les lieux. D'abord le vent. S'il vient de l'ouest, les nuages feront bientôt place au beau temps. S'il arrive de l'est, je serai mouillé le reste de la journée. Hummm… fameux! C'est un vent d'est, me voilà dans la flotte jusqu'à ce soir au moins… Pas de soleil pour m'orienter, que des nuages, et pas d'Amos pour allumer un bon feu! Décidément, ce voyage commence vraiment mal…»

En se fiant à son instinct, Béorf entreprit de découvrir un ruisseau qui le guiderait peut-être à une rivière, un fleuve ou encore près d'une quelconque bourgade où il pourrait demander son chemin.

C'est donc dans la boue et la mousse, à travers les branches et entre les arbres que le béorite entama une longue et pénible marche de deux nuits et trois jours qui le conduisit aux abords d'une chaumière isolée dans les bois. Durant son périple, Béorf avait dû manger des racines pour survivre, dormir à la belle étoile et endurer une incessante pluie qui lui avait glacé les os jusqu'à la moelle. Il était fatigué, irritable, enrhumé, mais surtout affamé. Lui qui comptait chasser pour se sustenter, il n'avait même pas croisé un seul cervidé, ni même un petit faisan à se mettre sous la dent. Les poissons avaient disparu dans les rivières, et les arbres étaient dégarnis de leurs fruits. C'était comme si la forêt avait été vidée de tous ses habitants, du plus grand au plus petit.

– Y a quelqu'un ? cria Béorf en s'approchant de la chaumière. Holà ! il n'y a personne ?

En effet, la petite maison était vide. Ses propriétaires avaient quitté les lieux depuis belle lurette, car les meubles étaient couverts de poussière et de toiles d'araignées.

« Voyons s'ils ont laissé quelque chose à manger ! » songea le béorite en fouillant les armoires.

Par bonheur, Béorf tomba sur une bonne dizaine de saucisses de sanglier séchées, quelques bocaux de truite marinée à l'oignon ainsi que de la farine, du seigle et un sac de galettes dures au miel. Il posa le tout sur la table et alluma un feu dans l'âtre grâce à deux silex qui se trouvaient sur le manteau de la cheminée, puis il mit ses vêtements à sécher. Devant le feu, il dévora la charcuterie avant d'engloutir le poisson. Les galettes connurent le même sort, et c'est repu que Béorf approcha une paillasse près de la flamme.

« C'est tellement bon de ne plus grelotter! pensa-t-il en secouant une couverture. Je me demande bien où sont les gens qui vivaient ici… Ils ont peut-être déménagé en ville… »

Tout en se faisant chauffer le dos, le béorite s'installa confortablement sur la paillasse et glissa rapidement dans les bras de Morphée. Il ne fut réveillé que beaucoup plus tard par un horrible cri qui lui glaça le sang.

– Mais qu'est-ce que c'est? se demanda-t-il à voix haute en cherchant ses vêtements à tâtons.

Dans l'énervement, Béorf enfila une jambe de son pantalon, mais rata la seconde. Il perdit l'équilibre et, en voulant se rattraper, il tomba à plat ventre sur la table qui se fracassa dans un bruit infernal.

« Bravo! Je suis le roi de la discrétion, se dit-il en s'ébrouant. Si Amos avait été là, j'aurai eu droit à une réprimande assassine… »

Un second cri, encore plus agressif que le précédent, retentit, cette fois à proximité de la maisonnette.

Tout à coup, la porte éclata et un puissant jet de flammes traversa la chaumière. Le béorite reconnut l'odeur caractéristique des vapeurs de roches phosphoriques qui accompagnait souvent le souffle de Maelström. Il en déduisit rapidement qu'il avait affaire au frère maudit de son ami dragon.

« Voilà donc pourquoi la forêt a été désertée par la faune et que la chaumière a été abandonnée ! songea-t-il. Personne n'aurait envie d'avoir un dragon comme voisin ! Bon, agis vite ! Il faut que tu sortes d'ici avant que tout s'embrase… »

En un clin d'œil, Béorf se transforma en un humanoïde mi-homme mi-ours, saisit Gungnir et fonça tête baissée vers la sortie. Cependant, dans sa fuite, il percuta de plein fouet le dragon, ce qui eut pour effet de l'étourdir. Juste assez longtemps pour qu'il retrouve sa forme humaine et se sauve à toutes jambes dans le bois. Conscient qu'il pouvait être poursuivi, Béorf courut à perdre haleine jusqu'à ce qu'il atteigne les rives de la mer du Nord. Là, il se cacha sous les branches d'un grand pin et scruta le ciel attentivement. Aucune trace du dragon…

Ce que Béorf ne savait pas, c'est que, lorsqu'il était entré en collision avec la bête de feu, la lame Gungnir lui avait profondément tranché le flanc droit tout en lui assenant une décharge électrique si puissante qu'elle en était restée paralysée de douleur. Du coup, le dragon avait vite abandonné l'idée de le poursuivre de peur d'une autre attaque violente. Par ailleurs, il n'avait pas pu identifier l'animal qui l'avait ainsi attaqué et avait jugé bon de ne pas chercher à le savoir.

« Ouf !!! pensa Béorf en se laissant glisser contre le tronc. Je n'aurais jamais cru pouvoir me débarrasser de lui aussi facilement. »

Le garçon souffla encore quelques minutes en remerciant tous les dieux du Valhalla de lui avoir accordé leur protection. Pour avoir vu Maelström en action, Béorf connaissait bien la hargne et la ténacité dont peut faire preuve un dragon lorsqu'il se lance au combat. Il l'avait vu déchirer des harpies d'un seul coup de patte et cracher un feu d'une telle intensité qu'il pouvait faire fondre des épées en un rien de temps.

« Comme je suis tout près de Ramusberget, je dois me diriger vers le sud pour atteindre Gonnor. Allez ! courage, Béorf ! Un bon bain chaud et une bonne table t'attendent là-bas si tu ne meurs pas d'épuisement avant… »

De longues journées de marche s'écoulèrent avant que le béorite n'aperçoive les grandes maisons de bois de la capitale viking. C'est le cœur chargé d'émotion qu'il pénétra dans la ville. Partout, il y avait des odeurs de harengs grillés, de brochettes de calmars fumants et de cochons braisés. Des effluves de tartes aux pommes à la menthe et aux airelles embaumaient la grande cité du Nord. C'est avec les sens aiguisés et le ventre creux comme un gouffre sans fond que Béorf demanda, en qualité d'ami, une audience auprès d'Harald aux Dents bleues.

– Désolé, lui répondit le garde à la porte du château, le roi est en réunion avec Sa Majesté Ourm le Serpent rouge et Wassali de la Terre verte. Il a ordonné que…

– BÉORF BROMANSON! hurla une femme de l'intérieur du palais. LAISSE-LE ENTRER IMMÉDIATEMENT OU JE TE BOTTE LE DERRIÈRE! TU AS DEVANT TOI LE CHEF D'UPSGRAN, TRIPLE IDIOT!

Le garde, confus, autorisa le béorite à pénétrer dans le palais. Une fois le seuil de la porte passé, Béorf reconnut la fougueuse Nérée Goule, chef de Volfstan.

– Es-tu ici pour la réunion des chefs, jeune Bromanson? lui demanda sans autre formalité la Viking en lui donnant une virile accolade. En tout cas, je suis heureuse de te revoir!

– J'en suis très heureux également, répondit Béorf timidement. C'est que je… je… je ne suis plus chef d'Upsgran…

– Mais ce n'est pas ce que ton remplaçant a dit !

– Mon remplaçant ?

– Oui. Suis-moi dans la grande salle des banquets, tout le monde y est… La réunion ne commencera que cet après-midi ! Tu auras le temps de manger et… et surtout de prendre un bain. Quelle odeur !

Nérée Goule poussa la porte de la salle et salua tout le monde à sa manière :

– BÉORF BROMANSON, CHEF D'UPS-GRAN ! DÉGAGEZ LE BUFFET, BANDE DE GORETS. IL A L'AIR AFFAMÉ !

Béorf salua cordialement l'assistance, puis il se dirigea vers le buffet. À sa grande surprise, Geser Michson l'intercepta.

– Je suis content de te revoir, Béorf ! Mais d'où arrives-tu comme ça ?

– Je t'expliquerai, Geser… Pour l'instant, je suis si heureux de te revoir !

– Je ne sais pas si on te l'a dit, mais j'ai été délégué pour te remplacer à cette assemblée extraordinaire de tous les chefs vikings. C'est l'initiative du roi Harald…

– Mais je ne suis plus chef… j'ai donné ma démission…

– Personne dans le village ne l'a prise au sérieux, expliqua Geser. Tu es un Bromanson et les Bromanson sont chefs de père en fils…

On n'abandonne pas ce poste, on vit et on meurt avec, c'est ainsi !

– Bon… maintenant, si tu le permets, dit Béorf, je vais me servir cette appétissante cuisse de poulet. Voilà… Dis-moi, pourquoi cette réunion ?

– Aucune idée, mon ami ! Si tu le permets également, je reste avec toi et nous le découvrirons ensemble. En attendant, je te fais préparer une chambre et demande qu'on t'apporte d'autres vêtements… Dis-moi, comment va la bande ? Et Maelström, tu as des nouvelles ? Je suis inquiet pour lui…

– Oui… les choses se précipitent, je dois absolument parler avec Harald…

– Mais attends, l'interrompit Geser, c'est Gungnir que tu tiens là ? Tu as apporté la lance d'Odin ?

En entendant cela, un des valeureux Vikings s'esclaffa et se tourna vers eux.

– Vous savez, la lance d'Odin est un vieux mythe ! Et si elle existait vraiment, je ne crois pas que ce jeune béorite, malgré la force que peuvent avoir les gens d'Upsgran, puisse seulement la soulever de terre ! Les légendes disent que seul l'élu d'Odin sera en mesure d'accomplir cette tâche…

– Et cet homme sera celui qui unira les peuples vikings avant le Ragnarök, c'est-à-dire avant la fin du monde tel que nous le connaissons! poursuivit Béorf. C'est bien cela?

– En effet! Tu connais tes légendes, jeune chef! l'applaudit le Viking. Grand bien te fasse, tu seras un bon conteur!

– Tenez, attrapez-la donc! répliqua Béorf en lui lançant l'arme. Vous me reparlerez des contes ensuite…

Le brave Viking voulut attraper la lance, mais dès qu'il referma sa main sur son manche, il fut immédiatement emporté au sol avec elle. On aurait pu croire qu'un arbre lui était tombé dessus. Blessé dans son orgueil, l'homme se releva et essaya de soulever Gungnir. Malgré tous ses efforts, la lance demeura clouée au sol.

– Je la laisse ici, lança Béorf avec désinvolture. Non… plutôt là, tiens!

De sa main gantée, le béorite la ramassa sans peine et alla la déposer délicatement au centre de la pièce.

– Si quelqu'un d'entre vous réussit à la prendre, ajouta-t-il, je la lui donne! Pour ma part, je vais prendre un bain… Amusez-vous!

Béorf quitta la salle avec Geser en abandonnant derrière lui la lance sacrée, mais il ressurgit aussitôt dans la pièce pour prendre une épaule d'agneau grillée dans le buffet. Sa seconde sortie fut la bonne.

Une fois rassasié, lavé et changé, le garçon raconta à Geser les aventures qu'il avait vécues à la cité de Pégase et ce qui l'avait amené, avec Amos, Médousa et Lolya, à se lancer à la poursuite de la toison d'or. Évidemment, Maelström en avait déjà raconté des bouts avant lui, mais le récit de Béorf traça un portrait plus complet des intentions de Barthélémy.

– ... puis j'ai marché jusqu'ici ! termina-t-il.

– Alors, si je comprends bien, dit Geser, ta tâche consiste à monter une armée pour ensuite aller rejoindre Amos à Berrion, c'est bien cela ?

– Exactement ! Mais dis-moi, qu'est-ce que fabriquent tous les chefs de clans ici ?

– Harald craint que les bonnets-rouges ne reviennent à la charge ! Comme tu me l'as confirmé, il y a un nouveau dragon dans les entrailles de Ramusberget et les Vikings se préparent au pire.

– Hum..., fit Béorf, ce qui signifie que ma requête risque d'être mal reçue. Comme Barthélémy ne représente pas encore une menace pour les peuples du Nord, on refusera certainement de m'entendre.

On frappa à la porte.

– Entrez ! dit Béorf.

Une grosse dame arborant un costume traditionnel et deux longues nattes blondes demanda au jeune chef Bromanson de descendre immédiatement à la salle des banquets. L'ordre émanait des rois Harald aux Dents bleues, Wassali de la Terre verte et Ourm le Serpent rouge.

Sans hésiter, le garçon la suivit et entra dans la salle. L'ambiance était lourde et chargée d'ondes négatives.

– Qu'est-ce que cela signifie ?! ragea Harald en pointant du doigt la lance qui n'avait pas bougé. C'est encore une mauvaise blague de ton copain Amos Daragon ? Qu'est-ce que vous manigancez encore, vous deux ?

– Je vous affirme que cette arme est Gungnir, la lance d'Odin, dit Béorf. Ce n'est pas une mystification ! J'ai été choisi pour mener tous les hommes du Nord dans une grande guerre qui marquera la fin des temps, pardon, la fin d'un temps.

L'assemblée émit un rire gras et méprisant.

– Elle est bien bonne, celle-là ! s'exclama Ourm le Serpent rouge. Ce petit arrogant qui se prend pour un roi !

– Taisez-vous, bande d'idiots ! hurla Béorf. Il paraît que vous craignez le retour des bonnets-rouges ? Eh bien, j'ai une petite nouvelle pour vous! Dans le Sud, les troupes du nouveau roi Barthélémy ont la ferme intention d'asservir les peuples du Nord pour les forcer à se joindre à une grande croisade contre le mal. Vous avez peur d'un dragon qui sommeille dans la montagne? Vous avez tort, car le mal n'est pas à Ramusberget, mais dans le cœur d'un homme qui doit absolument être arrêté dans ses projets.

– Venez-vous de nous traiter d'idiots? fit pour toute réponse Wassali de la Terre verte.

– Un ami m'a déjà dit, lança Béorf en songeant à Sartigan, que lorsque le sage pointe la lune, l'abruti ne voit que le bout de son doigt! N'avez-vous rien compris à ce que je viens de vous révéler?

– Je ne crois pas un mot de ce que vous dites, jeune ours! s'amusa Ourm. Partez vite, chef Bromanson, avant que je me fâche!

– D'accord, très bien…, répliqua Béorf. Mais vous m'obligez à prendre les grands moyens!

Le garçon leva sa main gantée et rappela Gungnir dans un éclair éblouissant.

– Selon nos lois les plus anciennes, je peux défier n'importe quel chef en combat singulier et, ainsi, advenant ma victoire, prendre possession de son territoire. Alors, je vous défie tous, les uns après les autres… Si vous n'y voyez pas d'inconvénient, je commencerai avec les chefs de villages, pour ensuite mettre au tapis les maîtres des plus grandes villes et je soumettrai finalement chacun des rois! Alors, qui sera le premier?

– Il ne sera pas nécessaire de te fatiguer avec moi, fit Nérée Goule en se rangeant derrière lui, Volfstan te suivra jusqu'en enfer s'il le faut!

– Eh bien, ce n'est pas mon cas! déclara un colossal Viking en dégainant sa hache à deux tranchants. Prépare-toi à mourir, jeune prétentieux!

Au moment où le colosse s'élança sur Béorf, une décharge électrique provenant de la lance d'Odin le propulsa sur un solide mur de bois rond. L'éclair rouge le frappa si fort que tous ses os se fracturèrent en même temps. Le pauvre homme n'eut pas même le temps de crier.

– Il est mort! s'écria son second après s'être agenouillé près du corps. Je prends la décision de ne pas venger mon chef; le village de Stuberg est à vous, chef Bromanson.

Soudain, deux autres Vikings décidèrent d'attaquer le jeune béorite. Béorf para un coup d'épée puis, d'un seul mouvement de lance, trancha le bras d'un de ses adversaires. Cette fois-ci, un éclair venu du ciel fit voler le toit du bâtiment en éclats avant de foudroyer l'autre chef récalcitrant.

L'assemblée vit alors un grand corbeau borgne se poser sur une poutre fumante du toit. L'oiseau fixa de son œil unique les trois rois, puis poussa un long croassement macabre. Les souverains reconnurent l'avatar d'Odin.

Harald aux Dents bleues s'approcha solennellement de Béorf.

– Mon armée est à toi, jeune béorite… Je me plie à la volonté des dieux.

– Tu as gagné, chef Bromanson, soupira Wassali de la Terre verte. L'idiot que je suis te suivra dans ta quête… Ta volonté sera la mienne !

– C'est à contrecœur que je me rallie à toi, fit Ourm le Serpent rouge. Néanmoins, tu pourras compter sur mes hommes pour mener dans le Sud ton combat contre le roi Barthélémy.

Le corbeau déploya ses ailes, puis disparut dans un coup de tonnerre.

5
La seconde reine noire se positionne également

Lolya jaillit de la porte des fées en jubilant. Sans se soucier de l'endroit où elle venait d'aboutir ni de qui pouvait l'entendre, elle se mit à danser tout en poussant de petits cris de joie.

– IL ME L'A DIT! IL ME L'A DIT!! IL ME L'A DIT!!! C'est merveilleux! Extraordinaire! Je lui ai dit : « Je t'aime » et il a répondu : « MOI AUSSI! » AMOS DARAGON A DIT : « MOI AUSSI! » WAAAAAOUH! Je le savais… C'est Sartigan qui dit que tout arrive à point à qui sait attendre! J'ai attendu et VLAN! DROIT AU CŒUR! C'EST TROP BEAU! IL M'AIME!!! IL ME L'A DIT!

– C'est bien, la surprit une voix tout près d'elle, il aura attendu que tu meures pour te livrer ses sentiments, charmant!

– Mais qui est là? fit Lolya en sursautant. Qui me parle?

La jeune nécromancienne regarda autour d'elle, mais ne vit qu'un modeste dolmen. Elle était au sommet d'une montagne chauve d'où elle pouvait voir la grande mer de l'Ouest d'un côté et le continent de l'autre. En bas, il y avait une île que Lolya reconnut immédiatement à la couleur rouge typique de ses arbustes. C'était Izanbred où se trouvait l'abbaye de Portbo.

– Je suis pourtant certaine que quelqu'un a parlé! dit à haute voix la jeune Noire en regardant dans le trou sous le dolmen. Y a quelqu'un?

– Tu ne regardes pas au bon endroit, déclara la voix sur un ton moqueur. Je suis là, tout près de toi... je te frôle même...

Lolya n'en crut pas ses oreilles! Elle comprit qu'il s'agissait de sa dague et la dégaina aussitôt.

– C'est toi qui me parles ainsi? demanda-t-elle à son propre reflet dans la lame.

– Oui, c'est moi...

– Ça alors! Mais pourquoi dis-tu que je suis morte?

– Parce que tu l'étais, petite sorcière! répondit son reflet en s'esclaffant. Comme les fées n'ont pas pu te sauver sur l'île du grand lac Ixion, c'est moi qui suis intervenue! Durant les traitements pour te sortir du coma d'extase, ton cœur s'est arrêté… Tu étais morte, Lolya, mais, grâce à mes pouvoirs, te voilà bien portante.

– Je ne te crois pas…

– Tu sais ce qu'est un parasite? Non, ne réponds pas, je t'explique… C'est un organisme qui vit aux dépens d'un autre organisme, auquel il cause des dommages plus ou moins graves, sans cependant le détruire. Lolya, je suis devenue ton parasite!

– Je refuse de croire à ton histoire!

– Maintenant, tu ne peux pas vivre sans moi, ni moi, sans toi, insista la dague de Baal. Que tu le veuilles ou non, nous formons un couple indissociable. En te redonnant la vie, j'ai fusionné avec toi! Ha! ha! ha!

– C'est bien ce que nous allons voir! rouspéta Lolya en lançant la dague de toutes ses forces. Voyons maintenant si je peux survivre sans toi!

– NOOOON! hurla le reflet avant de tomber plus loin.

Dès que Lolya eut lancé son arme, de grosses gouttes de sueur perlèrent sur son front. Étourdie, elle tituba et posa un genou par terre pour ne pas tomber. La gorge sèche et les mains moites, la jeune Noire se mit à craindre le pire.

«Après tout, peut-être que la dague de Baal disait la vérité? se demanda-t-elle gravement. Mais non, qu'est-ce que je raconte? C'est impossible... Une... une dague ne...»

Des problèmes respiratoires vinrent interrompre le fil de sa pensée, puis du sang commença à lui couler du nez.

«Mais qu'est-ce qui se passe?... Mes mains tremblent... et je faiblis... je me sens si faible...»

Lolya tomba la face contre terre et, malgré l'apparition de terribles maux de ventre, elle arriva à ramper vers la dague. C'est de peine et de misère qu'elle réussit à s'en approcher assez pour entendre son reflet râler.

– Ramasse-moi! cria la dague. J'espère que tu es contente... Tu voulais une preuve... eh bien, tu l'as! Approche... approche vite... je meurs... je meurs...

Bizarrement, plus Lolya approchait de son arme, mieux elle se sentait. Comme par magie, ses saignements de nez et ses difficultés respiratoires cessèrent au moment même où elle posa sa main sur le manche de bois. Toujours étendue par terre, la jeune nécromancienne empoigna la dague fermement et la serra machinalement contre son cœur.

– Ne refais plus jamais ça! grommela son reflet. Je commence à peine à vivre… je ne veux pas mourir maintenant!

– Mais pourquoi… pourquoi moi? demanda Lolya en essuyant du revers de la main la sueur de son front.

– Je pensais d'abord m'unir à Amos, mais quand je t'ai vue, j'ai tout de suite su que c'était toi que je voulais. Et lorsque j'ai goûté ton sang pour la première fois, j'ai compris que j'avais fait le bon choix et que nous étions faites l'une pour l'autre.

– Mais… qu'es-tu au juste?

– Je suis la dague de Baal… J'ai été forgée de sa propre main dans la cité infernale et je l'ai accompagné pendant des milliers d'années jusqu'à ce qu'il m'offre au jeune porteur de masques… J'ai compris, en ouvrant la porte des Enfers, que ma tâche était terminée auprès de mon maître et qu'il ne m'utiliserait plus… J'avais été forgée pour servir de clé, c'est tout! Je n'avais rien de mieux à espérer à ce moment-là!

– Et pour survivre, maugréa Lolya, tu n'as rien trouvé de mieux que de me vampiriser?

– Je te répète que je viens des Enfers, jeune fille! lui rappela la dague. Et, là-bas, on ne demande pas la permission, on prend!

Maintenant, installe-moi à ta ceinture, j'ai besoin de repos…

«Me voilà dans de beaux draps», pensa Lolya en s'exécutant.

– Tu verras, termina l'arme, je te serai utile…

– Continue à me tenir en vie, grommela Lolya, c'est tout ce que je te demande!

La nécromancienne oublia le bonheur qu'Amos lui avait donné, tant elle était bouleversée par les révélations de la dague. Elle avait du mal à croire ce qui venait de se produire.

«Ma vie est donc liée à cet objet et je ne pourrai plus jamais m'en débarrasser? s'interrogea-t-elle. C'est impossible, il doit sûrement y avoir un moyen… Je ferai des recherches et je trouverai bien. Je ne peux pas passer ma vie à porter sur moi cette maudite lame! Bon… pour l'instant, je vais descendre vers l'île.»

D'un pas rapide, Lolya se dirigea vers un tout petit village où se trouvait un batelier qui faisait office de passeur entre le continent et l'île. La traversée d'une rive à l'autre ne prenait qu'une heure environ, et la jeune Noire accéléra la cadence en espérant y arriver avant la nuit. Elle frappa à sa porte juste avant le coucher du soleil.

– Je ne traverse plus personne, lui expliqua froidement le batelier. Le seigneur a mis l'île en quarantaine et ses ordres sont stricts!

– En quarantaine?

– À ce qu'on dit, il y aurait des démons dans l'île…

– Mais je dois absolument m'y rendre! insista Lolya. Nous nous sommes déjà vus, vous rappelez-vous? J'étais avec des moines de l'abbaye de Portbo, deux garçons et une fille à la peau…

– À la peau verte…, l'interrompit-il. Mais oui! Je vous reconnais! Ça ne s'oublie pas, une fille à la peau verte et une autre à la peau noire… noire comme l'enfer… noir comme un démon! Partez! Je ne peux rien pour vous!

Le batelier referma violemment la porte au nez de Lolya qui fut projetée en bas du petit balcon!

– C'est comme ça, hein? fulmina-t-elle. Eh bien, je me débrouillerai seule!

La nécromancienne se dirigea vers le quai du passeur, y vit la petite barque, la détacha et partit vers le large. Ce n'est qu'après de longues minutes de navigation qu'elle entendit le batelier lui hurler des injures depuis la rive. Elle ne s'en soucia pas et la traversée se poursuivit normalement.

Arrivée de l'autre côté, Lolya dissimula la barque sous des branchages et se mit à marcher vers l'abbaye. Heureusement, la lune pleine éclairait fort bien un chemin en ligne droite. Deux ou trois heures s'écoulèrent avant qu'elle n'atteigne la petite chapelle colorée qu'elle trouva vide.

Plus loin, l'abbaye brûlait comme une torche qui semblait ne pas vouloir s'éteindre.

– Hummm... cette nuit, dit-elle tout bas, je me reposerai dans la chapelle et j'irai voir demain ce qui se passe là-bas. Par contre, j'ai tellement faim...

– Alors, je ne te laisserai pas ainsi! dit la dague.

– Oh! s'exclama Lolya en tressaillant. Je t'avais oubliée, toi... Qu'as-tu dit?

– Je peux te faire oublier.

– Quoi donc?

– Ta faim, répondit l'arme, afin que tu puisses dormir. Ça te fera patienter jusqu'au matin...

– Ouais, fit la jeune Noire. J'aurais préféré un coq au vin!

– Désolée... je ne sais pas faire de miracles.

– Ça va, j'irai cueillir des racines quand il fera jour. Wow! ton charme opère, car mon estomac se calme. Je me sens même gavée, comme si j'avais englouti tout un sanglier.

– Dors maintenant, je ferai le guet… Je te réveillerai si je sens un danger.

«Il n'y a pas que des inconvénients à traîner un parasite», pensa la jeune fille en s'installant le plus confortablement possible sur un banc de bois.

– Bonne nuit, Lolya, lui lança la dague.

– Bonne nuit… Mais, au fait, tu t'appelles comment?

– Appelle-moi Aylol…

– C'est mon nom à l'envers, remarqua tout de suite Lolya. Tu pourrais être un peu plus originale?

– Non, j'aime bien Aylol… C'est un joli nom. Ferme les yeux maintenant…

L'abbaye n'avait pas cessé de brûler depuis que la porte des Enfers avait été ouverte. La chaleur était si intense qu'elle avait tout brûlé autour des murs de la bâtisse. Des fumées nauséabondes aux couleurs violacées émanaient de la terre en charriant sur la contrée l'odeur de cadavres en décomposition. Le bois, les vitraux et l'ornementation étaient partis en cendres en ne laissant que les murs de pierre comme un squelette sans chair. Les moines s'étaient résignés à abandonner les lieux lorsqu'ils avaient compris que le feu ne s'éteindrait jamais. La congrégation avait donc quitté l'île pour reconstruire un monastère un peu plus au sud.

Après avoir déniché quelques racines, deux ou trois champignons et de petits fruits comestibles mais terriblement mauvais, Lolya se rendit jusqu'à l'abbaye. Elle s'en approcha le plus possible sans risquer d'être brûlée et cria pour appeler les démons. Ceux-ci demeuraient sourds. Sans se décourager, la jeune Noire essaya à plusieurs reprises, mais n'eut pas davantage de succès.

– OHÉ! Y A QUELQU'UN? répéta-t-elle encore et encore.

« Décidément, je vais m'épuiser si je continue à m'époumoner de cette façon. Il me faut à tout prix trouver une façon d'attirer l'attention de ces démons… mais comment? »

Lolya posa d'abord son regard sur la chapelle, plus loin derrière elle, et ensuite sur l'abbaye. Une idée lui traversa l'esprit.

« Hum, et si je leur faisais le coup des nouveaux voisins? De cette façon, je suis presque certaine de les faire réagir! »

La nécromancienne savait que la terre de l'abbaye avait été sacralisée et dédiée aux forces des ténèbres. Mais, en tant que sorcière et ancienne reine du peuple dogon, elle avait aussi le pouvoir de consacrer certains lieux pour les offrir au dieu de son choix.

«La solution est là, se dit-elle en retournant au sanctuaire, je dois désacraliser la chapelle puis l'offrir aux forces de la lumière… Je suis certaine que les démons ne vont pas tarder à se manifester.»

Dès que Lolya prononça les premières paroles d'une prière rendant grâce aux puissances des mondes célestes, trois cavaliers noirs sur des chevaux aux yeux de braise quittèrent l'abbaye en galopant dans sa direction.

– Voilà qui n'a pas été trop long! dit la jeune fille en les voyant arriver.

Les trois démons descendirent de leurs montures, dégainèrent leurs épées dans l'intention de découper Lolya en morceaux et avancèrent en la menaçant. Machinalement, la nécromancienne saisit la dague de Baal pour se défendre. À la vue de la lame, les trois chevaliers des ténèbres reculèrent et regagnèrent leurs chevaux. Sans explication, ils retournèrent prestement à l'abbaye en abandonnant une de leurs montures derrière eux.

– Eh bien, je ne savais pas que tu inspirais tant la crainte, Aylol! s'écria Lolya, soulagée de la tournure des événements. Il faudra que tu m'expliques comment tu t'y prends!

L'arme demeura muette.

«Et pourquoi m'ont-ils laissé ce cheval?» s'interrogea-t-elle devant cette immense bête aux sabots de feu.

La monture se mit à piaffer.

«Essaie-t-il de me dire quelque chose? Et s'il voulait que je le monte? D'accord… je prends le risque!»

Lolya grimpa sur la bête qui prit aussitôt la direction de l'abbaye où, contre toute attente, le feu semblait s'apaiser. Lorsque la jeune fille passa le seuil de la porte menant au cloître, les flammes avaient complètement disparu. Toujours à cheval, elle tendit la main pour toucher un mur, mais ne sentit aucune chaleur. Au contraire, la pierre était glaciale.

Ensuite, le cheval la conduisit au temple où elle put entrevoir, par l'ouverture d'une fenêtre, trois énormes monstres.

– Des hydres! s'exclama-t-elle tout haut, le cœur battant. Je n'en crois pas mes yeux…

Lolya avait vu juste, il s'agissait bien de ces créatures de légende. Issues des Enfers, les hydres appartenaient à la même famille que les dragons, sauf qu'elles avaient neuf têtes dont une seule était vulnérable. Leurs bouches dégageaient une haleine pestilentielle, chargée d'un poison capable de tuer quiconque sur le coup. Les têtes de ces monstres possédaient la particularité de repousser en double au fur et à mesure qu'elles étaient coupées.

Quelques instants plus tard, au cloître, devant une petite légion de chevaliers lourdement armés, le cheval s'accroupit pour faire descendre sa cavalière.

– Nous souhaitons la bienvenue à la porteuse de la dague, déclara un chevalier noir en retirant son heaume. Que pouvons-nous faire pour vous?

Lolya eut un choc en apercevant la tête de son hôte. Il avait la moitié de la figure arrachée, la bouche édentée, et deux filets de sang coulaient de ses yeux. Son haleine avait une forte odeur de charogne.

– Je viens de la part d'Amos Daragon, répondit Lolya, tout à fait dégoûtée.

– Alors, la guerre est commencée?

– Oui et… et nous avons besoin de vous! lui confirma la jeune fille.

– Je m'appelle Yaune et je suis le gardien de la sortie des Enfers, se présenta le démon.

– Oui… je sais, Amos m'a parlé de vous. Moi, c'est Lolya et je suis…

– Je sais, et vous êtes son amie de cœur, coupa le chevalier noir, Amos m'a aussi parlé de vous lors de son passage aux Enfers…

– Je suis très heureuse de vous connaître…
mais euh… Amos vous a dit que j'étais son
amie de cœur?

– Non, pas exactement, se reprit le démon,
mais il m'a parlé de vous avec tant d'ardeur
que c'est ce que j'en ai déduit… Désolé si j'ai
été inconvenant dans ma…

– Non! l'interrompit Lolya. Non, pas du
tout! Vous avez raison, je suis une amie très
proche…

– Je suis enchanté de vous rencontrer, dit
Yaune en exécutant une petite révérence. J'ai
ici, pour vous et Amos, soixante-six démons,
tous armés de hallebardes, d'épées et de solides
armures que j'ai forgées moi-même. De plus,
nous avons réussi à soumettre trois hydres qui
combattront à nos côtés.

– Nous devons nous rendre à Berrion
dans les plus brefs délais, Amos y est déjà
pour défendre la ville. J'espère que nous
n'arriverons pas trop tard!

– Nous sommes prêts à partir dans la
seconde… Nous vous attendions.

– Alors, allons-y, le temps presse et la route
est longue jusqu'au royaume de Junos.

– Vous monterez Bismark, dit le démon en
lui montrant le cheval qui l'avait accompagnée.
C'est une bête rapide et respectueuse de ses
cavaliers. Surtout, il vous faut éviter de la

caresser, comme toutes les bêtes qui sont ici d'ailleurs…

– Et pourquoi?

– Pour ne pas qu'elle vous arrache la figure d'un coup de gueule, lui répondit sèchement le démon. Ces bêtes perçoivent la tendresse et l'affection comme de la pitié. À l'endroit d'où elles viennent, les bons sentiments n'existent pas, alors la douceur les exaspère rapidement. Comme mes troupes, d'ailleurs!

– Dans ce cas, je serai ferme, assura Lolya. Mais avant de partir, dites-moi, si les bons sentiments n'existent pas chez les créatures qui vivent dans les Enfers, pourquoi êtes-vous là? Et pourquoi ces démons ont-ils décidé de vous suivre?

– Nous avons tous été condamnés pour nos actions passées et nous payons actuellement le prix de nos fautes, expliqua Yaune. Nous avons décidé de nous battre aux côtés d'Amos non pas pour nous racheter, car nous n'avons plus rien à espérer, mais plutôt pour notre honneur. Nous voulons disparaître la tête haute en servant une cause juste et un maître loyal, c'est tout!

– Dans ce cas, vous serez exhaucés! Barthélémy est un adversaire puissant et ses armées bénéficient des pouvoirs de la toison d'or.

– Nous n'avons rien à perdre, même pas la vie! lança Yaune en grimpant sur son cheval.

– Dans ce cas, galopons! conclut Lolya en sautant sur le dos de Bismark. Amos a besoin de nous!

6
Attaques et ripostes

LE ROI BLANC DOMINE

L'armée de Barthélémy était paralysée depuis bientôt une semaine. Le roi avait tout fait pour réveiller ses troupes, mais rien ne semblait pouvoir déjouer le sort des fées. Le peuple de Gwenfadrille avait capturé les chevaliers et il semblait impossible de les ramener à la réalité.

«Me voilà dans de sales draps, pensa le souverain en regardant Berrion au loin. Si ce fichu maléfice dure encore longtemps, je devrai penser à une autre solution pour m'emparer de la ville. Ils doivent bien rire, Junos et Amos, entre leurs murs comme des huîtres dans leurs coquilles. Je ne sais pas ce que je donnerais pour...»

Dans un fort grincement de bois et de métal, un des trébuchets armés par Barthélémy lors de l'intrusion des fées se déclencha soudainement. Puis un deuxième suivit, et finalement un troisième. Les pierres volèrent toutes en direction de Berrion et s'abattirent sur ses murailles. Un projectile réussit à percer une brèche.

– Ça y est! s'écria le roi. Ça y est! Le mauvais sort est enfin terminé!

En effet, la magie des fées avait cessé. Les chevaliers se mirent tout doucement à bouger normalement et aucun d'eux ne semblait se souvenir de rien. Une semaine de leur vie s'était envolée sans que vraisemblablement ils s'en rendent compte.

– CONTINUEZ L'ATTAQUE! hurla Barthélémy au comble du bonheur. ARMEZ LES AUTRES TRÉBUCHETS ET VISEZ LA BRÈCHE! QUE LES CHEVALIERS SE PRÉPARENT À L'ATTAQUE ET QUE LES ARCHERS SE POSITIONNENT PLUS EN AVANT! NOUS ENTRERONS BIENTÔT DANS CETTE VILLE, JE VOUS LE JURE!

Les boulets des trébuchets martelèrent le mur si bien que, en moins d'une heure, tout le rempart du côté sud s'affaissa dans un assour-dissant bruit de tonnerre. Les archers, en place pour l'attaque, commencèrent à faire pleuvoir leurs flèches sur la ville.

– Divisons-nous en deux groupes, ordonna Barthélémy à ses seigneurs. Un premier bataillon se dirigera à cheval vers la grande porte en emportant avec lui le bélier, alors que le deuxième se tiendra prêt à envahir la ville. Nos archers veilleront à ce que les chemins de ronde soient dégagés des hommes de Junos. Y a-t-il des questions?

– Que faisons-nous des catapultes? demanda un des seigneurs. Si nous les disposions au nord, elles pourraient ajouter de la pression sur les hommes de Junos. Ils ne sauraient plus où donner de la tête!

– C'est une bonne idée, répondit le roi, mais j'ai d'autres plans pour ces machines. Je veux que les artilleurs se rendent au bois de Tarkasis et qu'ils le rasent. Qu'ils prennent avec eux tout ce qu'ils ont de projectiles inflammables et qu'ils s'assurent de tout brûler!

– Mais… sauf votre respect, ô majesté, pourquoi irions-nous bombarder une forêt, alors que la ville est déjà à nos pieds?

– Pour m'assurer que les prochaines semaines soient moins longues que celles qui viennent de se terminer! rétorqua Barthélémy.

– Je ne comprends pas…

– Ce n'est pas nécessaire, faites ce que je dis, c'est tout!

– Très bien.

***

PANIQUE CHEZ LES NOIRS

Les hommes de Junos couraient dans tous les sens comme des lapins apeurés. Cette attaque les avait complètement pris par surprise; personne ne s'attendait à un bombardement aussi soudain. Dans sa naïveté, la population de Berrion avait presque cru que la guerre était gagnée et que les fées maintiendraient leur enchantement encore plusieurs années. Alors que les boulets des trébuchets commençaient à tomber sur le rempart sud, plusieurs gardes demeurèrent sur place, trop certains qu'ils étaient qu'Amos et ses pouvoirs sauveraient encore une fois la ville. Les pauvres furent emportés avec le mur et moururent coincés sous des milliers de tonnes de pierres. D'autres, plus téméraires, ne prirent même pas la peine de se cacher lorsque les archers ennemis se mirent à tirer sur la cité. Eux aussi attendaient une miraculeuse tornade du porteur de masques, mais ils furent transpercés par des dizaines de flèches. Seulement voilà, depuis la petite fête improvisée qui avait suivi l'attaque des rats, personne n'avait vu Amos dans Berrion. Le garçon avait disparu. Son absence avait été passée sous silence de peur que la population ne panique.

– Qu'allons-nous faire? lança anxieusement Junos à Sartigan. Le mur vient de s'effondrer, mes chevaliers sont effrayés; tout le monde se demande pourquoi Amos n'a rien fait pour empêcher...

– Je crois que les habitants de Berrion ont été présomptueux, répondit le vieux sage. Si Amos est parti sans prévenir, c'est qu'il avait certainement une bonne raison de le faire.

– Mais on ne quitte pas ainsi une ville assiégée! Surtout quand on est le seul à pouvoir la sauver!

– Vous vous en remettez encore à lui, lui fit remarquer Sartigan. Pendant que vous regrettez qu'Amos ne soit pas ici pour faire le travail, vous oubliez d'agir!

– Vous avez raison..., fit le seigneur. Je dois me reprendre! C'était trop facile avec Amos... Il faut immédiatement que je poste mes archers à la grande porte, puis que les catapultes retardent l'avancement des troupes ennemies par la brèche...

– Si j'étais vous, lui conseilla le maître, je dirais tout de suite à mes soldats que, cette fois, aucun miracle ne les sauvera. Dites-leur aussi que le vrai combat commence maintenant pour eux...

– Je ferai passer le message, assura Junos. Pour l'instant, je vous passe le commandement des troupes pour qu'elles gardent la brèche et je m'occuperai de la grande porte!

– Mais… mais… je…, hésita Sartigan, surpris par le projet du seigneur. Je ne suis pas apte à…

– Désolé, vieux singe! le taquina Junos. Mais vous venez à l'instant de me faire comprendre que je ne dois pas compter sur Amos et qu'il me faut agir rapidement. Malgré le respect que je vous dois, c'est encore moi le seigneur ici et je connais votre valeur comme guerrier. Je vous demande donc d'intervenir rapidement… J'ai une ville à défendre, et mon nouveau bras droit, c'est vous!

– Eh bien, moi qui voulais rester en dehors de tout ceci! abdiqua Sartigan. J'y vais immédiatement, seigneur Junos.

***

LE ROI NOIR BOUGE

Lorsque Amos avait intégré la pierre de puissance de l'eau, tout son corps s'était liquéfié sur le sol de la tour d'observation du château. Sur l'ordre de Frilla, une servante était montée nettoyer le plancher. À l'aide d'une serpillière, elle avait récupéré l'eau dans un seau, puis s'en était débarrassée en la déversant dans la rue. Amos, sous sa forme aqueuse, avait alors glissé jusqu'à une canalisation pour rejoindre ensuite un ruisseau, puis se fondre dans une petite rivière.

Tout le long de son voyage, le garçon eut l'impression qu'il avait quitté son enveloppe corporelle pour être un élément de la nature. Cette expérience lui fit comprendre les extra-ordinaires propriétés de l'eau, notamment son omniprésence et sa versatilité. Amos sentit en lui la capacité d'en faire de la glace ou de contrôler ses vapeurs. Il intégra la puissance de l'eau qui ne se laisse jamais arrêter par les obstacles et qui, tout comme la pensée humaine, doit être libre et sans attache pour avancer. Touché par le caractère authentique de cet élément, le porteur de masques s'émerveilla de découvrir tout le potentiel magique qui était maintenant en lui.

« Quel magnifique voyage ! se dit-il en reprenant sa forme humaine. Je me sens purifié aussi bien dans mon corps que dans mon esprit et j'ai l'impression d'avoir dormi pendant des semaines. »

Amos était au bord d'une rivière. Il se leva, s'étira puis essaya de s'orienter. Heureusement, il se rappelait en détail ce que lui était arrivé et s'en voulait un peu de n'avoir pu l'expliquer à sa mère. Cependant, il sourit en pensant à la servante qui l'avait essuyé, tordu et finalement balancé dans la rue.

« Si elle avait su, songea-t-il, elle aurait sûrement agi autrement. »

Le garçon avait un peu perdu la notion du temps et se demanda depuis combien de temps il avait quitté Berrion.

« J'espère qu'il n'est rien arrivé de fâcheux durant mon absence… Mais où suis-je donc maintenant ? »

En voyant la forêt étrangère autour de lui, Amos en déduisit qu'il avait été emporté à plusieurs dizaines de lieues de Berrion. La végétation ne lui disait rien du tout, les forêts autour de Berrion étant composées d'une plus grande diversité de feuillus et de moins de conifères.

« La meilleure solution est de remonter la rivière… J'arriverai ainsi à mon point de départ ! Je me demande comment Béorf, Lolya et Médousa se tirent d'affaire… J'espère que tout se passe bien pour eux… »

***

ÉCHEC À BERRION

Le siège d'une cité comme Berrion était, malgré les pouvoirs de la toison d'or, une chose très difficile à réaliser sans commettre d'erreurs. Barthélémy savait que ses hommes se fatigueraient rapidement si Junos leur opposait un peu de résistance, car, après tout, les chevaliers étaient certes invincibles, mais pas inépuisables. Il lui fallait donc abattre le plus de remparts possible autour de la ville afin de mener l'attaque sur plusieurs fronts en même temps. Comme ses catapultes étaient déjà en route pour le bois de Tarkasis, le roi choisit donc une dizaine de ses meilleurs hommes pour aller saper la muraille du côté nord. Cette technique, capable de venir à bout des tours et des murs les plus solides, consistait à creuser un tunnel sous la structure de pierre pour le bourrer ensuite de paille, de bois, d'huile et de gras animal auxquels on mettait le feu. L'intensité de la chaleur faisait se dilater les pierres qui explosaient en entraînant l'effondrement de la construction.

– Bientôt, ils seront à notre merci! jubila Barthélémy en félicitant d'une accolade le commandant de ses armées.

– Nos hommes se battent bien! lui répondit le seigneur, tout aussi enthousiaste. Le bélier a commencé son travail sur la grande porte et nos archers ont tué plusieurs soldats.

– La progression est excellente également du côté de la brèche, le renseigna le roi. Nous devons nous maintenir jusqu'à ce que le mur nord tombe. Lorsque Berrion ressemblera à un gruyère, nous lui porterons le coup final.

– Ils ne peuvent plus rien contre nous, maintenant…

– Non, ils sont à notre merci ! Une fois que la cité sera à nous, il faudra tout de suite penser à réparer les dégâts que nous avons faits.

– Oui, acquiesça le seigneur. Nous déploierons ensuite nos forces vers le nord et plus rien ne pourra arrêter la croisade.

– Enfin ! dit le roi en savourant déjà sa victoire. J'ai hâte d'enterrer Junos et d'étrangler cet Amos Daragon… Regardez avec quelle fougue mes chevaliers se battent !

Barthélémy avait raison d'être fier, surtout que ses hommes avançaient sans difficulté vers la brèche. Chacun de leurs coups d'épée blessait ou tuait un des hommes de Junos, alors qu'eux, protégés par les pouvoirs de la toison d'or, ne subissaient que des blessures mineures dont les plaies se refermaient immédiatement. Les flèches des archers de Berrion, trop légères et souvent mal fabriquées, parvenaient à peine à transpercer les armures dorées des chevaliers du nouveau roi. Le bélier martelait la porte et une fumée noire s'élevait déjà de la façade nord de Berrion, indice que le mur avait bien été sapé par le commando spécial.

– Préparez mon cheval ! ordonna Barthélémy à deux de ses écuyers. Je veux entrer dans la cité avec mes hommes! Qu'on me donne aussi ma meilleure épée, j'ai envie de voir voler bien haut la tête de Junos lorsque je le décapiterai...

— Vos désirs sont des ordres, fit le serviteur.

— Vous m'excuserez de prendre ainsi votre place, lança Barthélémy à son commandant avec un grand sourire, mais j'ai tellement envie de m'amuser... Vous veillerez sur le camp.

***

LA REINE DES NOIRS ATTAQUE

Barthélémy venait à peine d'enfourcher son cheval qu'une ombre traversa le ciel dans un hurlement qui figea les combattants. Les affrontements cessèrent lorsque toutes les têtes se tournèrent vers le ciel. Un deuxième cri, plus affreux et discordant que le premier, précéda l'apparition d'un dragon! La bête, conduite par une créature monstrueuse aux grands yeux globuleux, rasa les troupes postées près de la grande porte et cracha un jet de feu qui enflamma le bélier comme une botte de paille. En proie à une panique effrénée, les chevaux ruèrent en désarçonnant leurs cavaliers. Les hommes de Barthélémy, encore sous le choc de cette soudaine attaque, se relevèrent en jurant, puis virent, devant eux, un dragon rugissant comme un lion en colère se poser au-dessus des portes de la ville.

– Continue, Maelström, lui glissa Médousa à l'oreille, je parie qu'ils sont tous en train de faire dans leur armure, tellement ils sont effrayés.

– On se fait un autre feu de joie? lança le dragon en gonflant son poitrail.

– Allez! grille-moi ces bâtards!

Maelström expulsa de son estomac tout le gaz de pierres phosphoriques qu'il avait accumulé. La déflagration souleva des dizaines de chevaliers et les propulsa à une vingtaine de mètres en arrière. Cheveux et barbes roussis, les hommes déguerpirent à toute vitesse en direction de leur camp.

– Voilà le travail! claironna Maelström devant la débandade des troupes du roi. Et dire que je ne suis même pas encore un dragon adulte!…

– Beau boulot! le félicita Médousa, plus que satisfaite.

C'est alors que le ciel s'obscurcit au-dessus du champ de bataille. D'abord persuadé qu'il s'agissait d'un gros nuage orageux, Barthélémy n'en fit pas de cas. Mais lorsqu'il vit une armée de centaines d'hommoiseaux en rangs serrés tirer sur ses soldats, il dut se frotter les yeux pour y croire. Les flèches tombèrent comme une pluie meurtrière, se plantant dans les armures, les casques et les boucliers comme dans du beurre mou. Les hommes qui montaient vers la brèche rebroussèrent tous chemin pour regagner le camp. Plusieurs d'entre eux avaient l'air de véritables hérissons. Ils étaient transpercés de partout et leur armure était fichue. Heureusement pour Barthélémy, la toison protégeait ses hommes et aucun d'eux ne perdit la vie. Une fois les flèches retirées, toutes les plaies se refermèrent, mais la confiance des chevaliers était de nouveau et plus que jamais ébranlée.

– ILS S'EN PRENNENT AUX TRÉBU-CHETS! hurla un artilleur. LES HOMMES VOLANTS ATTAQUENT LES TRÉBUCHETS!

« Décidément, pensa Barthélémy en serrant les poings, je déteste cette guerre… »

***

RETOUR AU JEU

Comme il remontait la rivière au pas de course, Amos crut entendre le son d'un lourd battement d'ailes. Il eut à peine le temps de se retourner qu'il se fit happer par les griffes d'une créature qui le souleva dans les airs.

– Il était temps que je te retrouve, mon frère, lui dit une voix qu'il connaissait bien. Ça fait des heures que je te cherche.

– MAELSTRÖM! cria Amos, au comble de la joie. Comme je suis content que tu sois là!

– Mais où étais-tu passé? demanda le dragon en posant le garçon sur son dos. Tout le monde te cherche à Berrion!

– C'est une histoire difficile à croire, mais je te raconterai… Dis-moi, Médousa a-t-elle réussi à convaincre les icariens de se joindre à nous?

– Si elle a réussi? Et comment! fit Maelström en riant. Et même bien au-delà de tes espoirs, cher frère! Deux mille hommoiseaux ont repoussé aujourd'hui même une attaque importante de Barthélémy. Et écoute ça: ils ont complètement démoli ses machines de guerre avec leurs seules flèches enflammées.

– La bonne nouvelle que tu m'apportes là! Et dire que j'ai tout manqué! lança Amos, fou de joie. Barthélémy devait hurler de rage!

– Lui et ses hommes installent au-dessus de leur camp des panneaux de bois qui leur serviront de protection. Ils veulent prévenir une autre attaque aérienne. Je sais aussi que leurs forges fonctionnent à plein régime et qu'ils se préparent pour une nouvelle attaque.

– Des nouvelles de Lolya et de Béorf?

– Rien encore, c'est nous qui sommes arrivés les premiers à Berrion… et… euh… tu sais quoi, mon frère?

– Non, mais je sens que je vais apprendre quelque chose de surprenant! répondit Amos, intrigué par le ton du dragon.

– J'ai un trésor! annonça fièrement la bête. Mon premier trésor! Les icariens l'ont transporté de la cité de Pégase jusqu'à Berrion. Nous l'avons mis dans une des écuries de Junos… Si tu savais comme on dort bien sur un trésor!

Amos connaissait l'importance que pouvait avoir un trésor dans la vie d'un dragon, puisqu'il était indispensable à leur croissance physique. Sartigan, lui-même ancien chasseur de dragons, lui avait appris que ces créatures n'accumulaient pas les richesses par avidité ou par cupidité. Elles en avaient besoin pour assurer la reproduction de l'espèce. Les œufs de dragon ne pouvaient être pondus ailleurs que dans un nid d'or. Mais, bien entendu, pour Maelström, le temps de la reproduction était encore loin…

– Je suis très heureux pour toi! lui dit Amos en lui tapotant l'épaule. Oh! mais… mais qu'est-ce que cette colonne de fumée là-bas? On dirait que… on dirait bien que c'est au-dessus du bois de Tarkasis!

– Tu as raison, confirma Maelström, il s'agit bien du bois des fées…

– Vas-y, fonce! Il est peut-être encore temps d'intervenir!

***

UN COUP DE MAÎTRE

Effectivement, le bois de Tarkasis avait commencé à s'embraser sous les projectiles bombardés par les catapultes de Barthélémy. Junos avait posté des archers pour défendre les lieux, mais ceux-ci n'avaient pu tenir la position bien longtemps. Leurs petits arcs ne faisaient pas le poids contre les énormes machines de guerre du roi et son armée d'artilleurs immortels. Les hommes de Berrion avaient tout de même réussi à retarder leur attaque assez longtemps pour éviter que la forêt ne disparaisse complètement avant le retour d'Amos.

– Pourrais-tu enflammer les catapultes, Maelström?

– Malheureusement non, je n'ai pas trouvé d'autres roches phosphoriques à avaler dans le coin… Je n'ai plus rien à cracher… désolé!

– Ça ne fait rien, dit Amos. Approche-moi le plus près possible des machines, je vais sauter en vol!

– Oh!? Es-tu bien certain de ton plan?

– Oui, c'est le moment d'essayer un nouveau truc que j'avais bien envie d'expérimenter d'ailleurs!

– Très bien, mon frère, je plonge...

Maelström piqua sur les artilleurs de Barthélémy, puis remonta d'un coup vers le ciel. Amos en profita pour se lancer dans les airs. En utilisant son pouvoir sur l'eau, il se liquéfia et heurta de plein fouet une catapulte en mouvement. L'eau aspergea les soldats qui se regardèrent, étonnés, en se demandant s'ils avaient bien vu un dragon leur uriner sur la tête.

Goutte par goutte, le corps d'Amos se reconstitua sous la machine de guerre.

«Quel plongeon! pensa le garçon. Bon, maintenant, combattons le feu par le feu!»

Le porteur de masques fit appel à sa maîtrise des flammes pour se transformer en torche humaine. Il enflamma la catapulte et fila sous un autre engin. Au grand désarroi des artilleurs, les machines de guerre se mirent à brûler les unes après les autres. Puis les barils d'huile explosèrent à tour de rôle. Bientôt, sans qu'aucun des soldats de Barthélémy ne puisse expliquer le phénomène, toute l'artillerie se consuma sous l'effet d'un feu d'une violence surnaturelle.

– Je te l'avais bien dit, expliqua un chevalier à son collègue en cavalant vers le camp, que c'était un dragon! Il nous a pissé dessus et c'est ça qui a mis le feu partout!

– Tu crois que ces bêtes peuvent mettre le feu en urinant? répondit l'autre.

– Tu l'as vu comme moi, non? Ces créatures du mal ont plus d'un tour dans leur sac!

– Mais qu'est-ce qu'on fait de la forêt? Nous devions…

– Nous dirons à Barthélémy que nous avons réussi! De toute façon, personne ne pourra éteindre le feu que nous avons allumé! La forêt sera réduite en cendres à coup sûr!

Amos regarda tous les artilleurs s'enfuir, puis se dirigea vers le bois de Tarkasis.

« Je dois vite trouver une façon d'étouffer les flammes qui se répandent dans le royaume des fées… Allez, vite, une idée, Amos! »

***

DE NOUVEAUX PIONS
POUR LES BLANCS

Barthélémy avait ordonné un grand rassemblement de ses troupes. Une fois celles-ci réunies, il grimpa sur une estrade de fortune et prit la parole:

– Bande de mauviettes sans colonne vertébrale! rugit-il en guise d'introduction. Vous êtes lamentables! Aucun d'entre vous ne semble se rendre compte que vous êtes TOUS invulnérables! Ce n'est pas un dragon, ni un escadron d'oiseaux ou encore un commando de fées qui viendront à bout de notre armée. Ne l'oubliez pas: nous sommes en mission divine afin de purifier le monde! Vous essayez de monter des panneaux de bois pour vous protéger d'une éventuelle attaque aérienne? C'est ça, la nouvelle grande stratégie de mes bras droits?

– Ô majesté, osa l'un des seigneurs, les hommes ont peur!... Aucun parmi eux n'a l'habitude de combattre des créatures aussi… aussi étranges. Nous avons pensé à fortifier notre camp afin que…

– TRIPLE CRÉTIN! hurla le roi. C'est à eux de se protéger, pas à nous! Ils doivent nous craindre et pas le contraire! Nous allons retourner au combat et leur montrer qui sont les maîtres! Je veux que nous procédions à une attaque traditionnelle!

Alors que Barthélémy expliquait sa nouvelle stratégie, une pluie de flèches s'abattit sur le camp. Même si le voyage depuis la cité de Pégase et la première offensive les avaient déjà passablement épuisés, Médousa avait ordonné aux icariens d'attaquer de nouveau. Étant donné que les hommoiseaux étaient efficaces surtout le jour, elle devait les utiliser maintenant, alors que le soleil était sur le point de se coucher. Elle voulait ainsi déstabiliser les troupes ennemies afin de les empêcher de lancer un éventuel assaut nocturne.

Devant l'affolement de ses hommes qui cherchaient à se réfugier sous leurs boucliers ou à gagner les abris de fortune, Barthélémy serra les poings et invoqua les pouvoirs de la toison d'or. Zaria-Zarenitsa lui avait déjà enseigné, lors de l'invasion des rats à Berrion, comment il pouvait utiliser la force de ses sentiments pour faire agir le pelage des dieux. C'est alors qu'un événement inimaginable se produisit.

Les quatorze seigneurs de Barthélémy commencèrent à trembler et à vomir du sang. Dans d'horribles hurlements de douleur, ils subirent une mutation qui leur fit prendre une taille gigantesque. Leurs bras se transformèrent en ailes, et des plumes dorées leur couvrirent bientôt tout le corps. En quelques minutes seulement, ils étaient devenus des rocs, ces énormes oiseaux capables d'emporter en vol des charges équivalentes au poids d'un rhino-céros et d'un éléphant.

– Allez, les enfants! leur ordonna le roi. Débarrassez-nous de ces sales moucherons qui nous agacent avec leurs dards! Éliminez-moi ces insectes!

Les quatorze rocs prirent leur envol en poussant des cris d'exaltation.

Barthélémy était toujours de la partie.

**

LE ROI DES NOIRS FAIT DES DÉGÂTS

Dans le bois de Tarkasis, la situation était critique. Le feu avait déjà entamé une grande partie du territoire des fées et il avançait rapidement. Amos regardait avec désolation les immenses conifères, qui ressemblaient maintenant à de grandes torches, propulser autour d'eux des milliers de petits tisons incendiaires. De toute évidence, ce feu était hors de contrôle et même les pouvoirs d'un porteur de masques n'y pouvaient rien.

– Je peux faire quelque chose pour t'aider, mon frère? demanda Maelström en se posant.

– Je n'arrive pas à trouver un moyen pour éteindre ce gigantesque incendie, avoua Amos, un peu affolé. Je dois absolument l'éteindre, mais je ne sais pas comment!

– Je ne veux pas te décourager mais, sur ce coup-là, je crois qu'il n'y a plus rien à faire. J'ai bien peur que toute la forêt ne soit condamnée…

– Non… Je refuse de baisser les bras ! C'est trop facile de se défiler ainsi… Je vais me battre contre ce feu, quitte à y laisser ma peau !

– Sois raisonnable, Amos, dit Maelström pour tenter de le calmer. Il ne servirait à rien de…

– Je connais une façon de décupler ma puissance, l'interrompit le porteur de masques, et j'ai bien l'intention de l'utiliser pour arrêter ce fléau ! Va-t'en, je commence déjà à sentir la colère ! ! !

Sans poser de question, le dragon s'éloigna en quelques coups d'ailes. Il savait que la seule façon pour Amos de doubler, voire de quadrupler ses pouvoirs sur les éléments était de perdre le contrôle de ses émotions. Toutefois, sous l'influence de sentiments négatifs, il pouvait accomplir de vrais miracles, mais aussi provoquer de terribles catastrophes.

Amos serra les dents et se remémora le décès de son père. Un profond chagrin le submergea et les larmes lui montèrent aux yeux. Pour attiser sa haine des dieux et de leurs manigances, il se rappela la terrible façon dont Banry et ses amis béorites avaient perdu la vie. Puis la tromperie d'Aélig lui revint à l'esprit. Le souvenir de la mort absurde de Koutoubia Ben Guéliz acheva de le torturer et il finit par perdre la tête.

C'est dans un état de grande confusion mentale que le porteur de masques commanda aux nappes d'eau souterraines de la forêt de surgir et d'inonder les lieux. Aussitôt, des geysers d'eau explosèrent de tous les côtés en aspergeant le feu. Un immense nuage de vapeur et de poussière monta vers le ciel sous les rires déments du garçon.

– QUE L'EAU MONTE ET MONTE ENCORE ! cria Amos en dansant sous la pluie. C'est moi qui te contrôle et tu dois obéir à ton maître ! Encore ! Encore et toujours de l'eau ! Que ma volonté soit faite !

Dominée par la volonté du porteur de masques, l'eau se mit à jaillir de plus belle. Amos était sur le point de transformer à jamais le bois de Tarkasis en marécage lorsqu'il reçut un violent coup de bâton derrière la tête.

Il s'effondra dans la boue.

***

LES BLANCS
REPRENNENT LE DESSUS

Les rocs avaient fait un véritable carnage parmi les troupes icariennes. Protégés par les pouvoirs de la toison, les monstrueux oiseaux étaient invulnérables aux flèches. Malgré tous leurs efforts, beaucoup d'hommoiseaux ne réussirent qu'à se faire tuer. Les rocs avaient en eux une force et une rage qui dépassaient l'entendement. De leurs pattes, solides comme des troncs d'arbres, ils pouvaient attraper et broyer en plein vol des dizaines d'icariens comme s'il s'agissait de fragiles petites libellules. Il leur arrivait de tuer, en un seul coup de bec, trois ou quatre adversaires à la fois. D'une incomparable vitesse en vol, les rocs avaient l'agilité et l'habileté des meilleurs rapaces. Ils étaient les rois du ciel !

– Il faut faire revenir ce qui reste des troupes ! cria Médousa devant la défaite de ses combattants. Ces monstres sont trop puissants pour nous...

Heureusement, le soleil finit de glisser derrière les montagnes, et les rocs durent abandonner le combat. Les gigantesques oiseaux se posèrent lourdement dans le camp de Barthélémy. Comme la plupart des êtres diurnes, il leur était impossible de se diriger dans les ténèbres. Les rocs avaient de grandes facultés, mais ils ne possédaient pas les yeux du hibou ni la capacité d'orientation des pigeons voyageurs.

Quant aux hommoiseaux de la cité de Pégase, ils retournèrent vite derrière les murs de Berrion où les attendaient des infirmiers.

– Je suis navré, ô ma déesse! s'excusa l'un des chefs d'escadrille en s'agenouillant devant Médousa. Nous avons tout essayé pour les abattre et nous avons échoué… Des centaines de nos archers sont morts… Je… je suis désolé de vous décevoir ainsi!

– Vous avez été parfaits en tous points, lui assura la gorgone en le relevant. Les créatures que vous venez d'affronter sont protégées par le pouvoir extraordinaire du roi Barthélémy. Sans leur protection magique, vous leur auriez fait mordre la poussière en un clin d'œil!

– Mais… mais qu'arrivera-t-il au lever du soleil? s'inquiéta-t-il. S'ils bénéficient d'une si puissante protection, nous n'avons aucune chance de les vaincre et nous courons directement au suicide!

– Je sais que nous pouvons les vaincre, le rassura encore Médousa. Je ne sais pas encore comment, mais on trouvera… Allez vous reposer, on dit que la nuit porte conseil.

– Bien, fit l'icarien, nous avons confiance.

Médousa se retourna pour ne pas qu'il voie les deux larmes qui coulaient sur ses joues.

« Ils ont remis leur vie entre mes mains, se dit-elle, et je n'ai pas de solution pour les aider… Je ne saurai pas quoi faire demain lorsque, au lever du soleil, les rocs reviendront à la charge… Si au moins Amos était là !

***

LES DÉMONS ENTRENT EN JEU

– Était-ce bien nécessaire ? demanda Yaune à Lolya.

Arrivée au bois de Tarkasis avec Yaune, les trois hydres et sa petite armée de démons, Lolya avait rapidement évalué la situation et pris une décision. Or, ce n'était pas de gaieté de cœur que la jeune nécromancienne avait assommé Amos d'un solide coup de bâton. Elle savait que c'était la seule solution pour arrêter son délire qui aurait pu continuer ainsi jusqu'à l'inondation complète de la région.

– C'était bien nécessaire, lui confirma Lolya, du moins, la façon la plus rapide de mettre fin à son délire ! Lorsqu'Amos entre en transe, il devient incontrôlable… Dans la cité de Pégase, je l'ai vu perdre la maîtrise d'une tornade qui aurait facilement pu avaler toute la ville!

Les geysers s'apaisèrent et une légère brume se forma au-dessus du sol. Une grande partie de la forêt avait été calcinée, mais le royaume des fées était sauvé. Les hydres, habituées à un milieu plus sec, pataugeaient dans la boue en poussant des soupirs de mécontentement.

– Et maintenant, chère porteuse de la dague, demanda Yaune, quel est votre plan? La nuit va bientôt tomber et mes démons sont prêts à attaquer... Je sens qu'ils ont besoin d'action...

– D'abord, dit Lolya, aidez-moi à installer Amos sur mon cheval. Nous devons le reconduire à Berrion dans les plus brefs délais.

– Et pour l'assaut? insista Yaune en déposant délicatement le corps du porteur de masques sur la monture. Je crois que nous devrions les surprendre en pleine nuit et...

– Mais tout d'abord, répliqua fermement Lolya, nous irons à Berrion. Il est impératif de...

– UN DRAGON! cria un démon, les yeux au ciel.

Spontanément, tous les chevaliers noirs dégainèrent en même temps leur épée.

– NE BOUGEZ PAS! ordonna Lolya. C'EST UN AMI, IL EST DANS NOTRE CAMP!

– Petite sœur, quel plaisir de te revoir! fit Maelström en se posant près d'elle. Je ne savais quoi faire pour arrêter Amos… Tu es arrivée à temps…

– Nous n'avons pas de temps à perdre, Maelström. C'est toi qui emporteras son corps à Berrion. Tu informeras Junos que j'arriverai bientôt avec des… avec des invités spéciaux! La population ne doit pas être effrayée par l'allure de mes troupes, ils sont là pour nous aider.

– Tout de suite! fit le dragon en saisissant Amos entre ses pattes. À bientôt alors…

Maelström s'envola et Lolya grimpa sur sa monture. Il faisait presque nuit et la nécromancienne constata que la lune était en phase décroissante. Pour elle, il s'agissait d'un signe annonciateur de la fin de la guerre. Le cycle des événements terrestres était souvent en étroite relation avec les mouvements du ciel, et cette lune représentait l'aboutissement d'un conflit.

« J'espère seulement que ce sera en notre faveur », pensa la jeune fille.

– Vous semblez troublée, chère porteuse, remarqua Yaune. Quelque chose vous tracasse particulièrement?

– Non… non…, mentit Lolya. Allez! rendons-nous vite à Berrion!

***

UN REGARD SUR L'ÉCHIQUIER

Lorsqu'il rouvrit les yeux, Amos vit autour de lui Lolya, Médousa, Junos, Frilla et Sartigan. La nuit était avancée et le calme régnait autour de Berrion. Seule une chouette hululait, au loin, dans la forêt.

– Il se réveille! lança Lolya, soulagée.

– Outch! ma tête! fit Amos en essayant de se relever. J'ai pris un vilain coup…

– C'est moi qui t'ai assommé, avoua la jeune Noire. Je suis désolée, Amos, mais c'était impératif pour sauver la région de l'inondation!

– Ah! c'est donc toi! Mais je comprends, dit le garçon, tu as agi de la bonne façon… Le bois de Tarkasis a-t-il été sauvé?

– Oui, en grande partie, lui confirma son amie. Les fées et leur royaume survivront. Tiens, bois ceci… C'est une préparation un peu spéciale qui t'aidera à te remettre vite sur pied.

– Merci… Quelle est notre situation à présent?

Junos expliqua que Berrion avait subi de lourds dommages. Il y avait une ouverture immense dans le rempart sud, alors que la muraille nord avait été sapée et se trouvait fragilisée. La grande porte de la ville n'avait pas trop souffert des coups de bélier, mais beaucoup de chevaliers étaient morts dans la bataille de la brèche, et l'entrée de la ville se trouvait maintenant sans protection suffisante. De toute évidence, les hommes de Junos n'étaient plus assez nombreux pour mener à bien une attaque contre Barthélémy, mais pouvaient encore résister quelques heures au cas où il y aurait un nouvel assaut de l'ennemi.

Médousa, elle, lui raconta la bataille aérienne des icariens contre les rocs. Ses soldats n'arriveraient pas à vaincre ces monstres, conclut-elle. Les archers de la cité de Pégase ne pouvaient pas lutter contre une force aussi destructrice. Dans l'affrontement de la veille, elle avait perdu près de cinq cents combattants et elle ne voulait plus envoyer ses troupes à l'abattoir.

De son côté, Lolya affirma que ses démons étaient prêts à attaquer Barthélémy sur-le-champ. Ils n'étaient que soixante-six, mais ils bénéficiaient de la même immortalité que les troupes du roi. En plus, les démons ne connaissaient pas la peur ni la fatigue ; ainsi, ils pourraient combattre sans relâche des jours entiers. Quant aux trois hydres, en plus de cracher de l'acide, elles avaient aussi une capacité de régénération qui en faisait des créatures presque impossibles à abattre.

– Et Barthélémy n'a plus de machines de guerre, continua Junos. Cependant, il dispose encore de la totalité de ses hommes. Nos forces s'épuisent alors que les siennes demeurent constantes…

– Et Béorf? demanda Amos. Quelqu'un a des nouvelles de lui?

– Non, aucune nouvelle, répondit Junos.

– Avant qu'il n'aille dormir sur son trésor, intervint Médousa, j'ai demandé à Maelström de faire un vol de nuit pour voir s'il n'y aurait pas dans les parages un feu de camp ou encore une grande armée en mouvement, mais il n'a rien vu…

– Le temps est contre nous, s'inquiéta Junos. S'il nous est impossible de les tuer, comment allons-nous les vaincre? Si ça continue ainsi, nous étoufferons sous la pression et nous mourrons avec la ville. Ce Barthélémy est comme un venin qui nous empoisonne lentement et qui…

– UN VENIN! s'écria Amos. Mais oui! Voilà ce qu'il nous faut! Assurez la défense de Berrion du mieux que vous le pourrez, moi, je dois partir!

∗∗∗

UN DEUXIÈME COUP DE MAÎTRE

Lolya faisait les cent pas sur la plate-forme du donjon. Amos venait à peine de quitter la ville sur le dos du dragon en demandant à Médousa de lui prêter une centaine de soldats icariens. Ils avaient chargé dans des sacs le trésor de Maelström et, sans plus d'explications, le garçon était parti en compagnie des icariens.

« Le jour est sur le point de se lever et Barthélémy va sûrement ordonner une nouvelle attaque, pensa Lolya. Il faut absolument que je trouve quelque chose pour aider Junos à protéger la ville… Peut-être un sort ou une malédiction que je… »

– Il faudrait, dit la dague de Baal, que ton ami Béorf arrive avec son armée.

– Je sais bien…, s'impatienta Lolya, mais le chemin à parcourir entre les territoires du Nord et Berrion ne se fait pas en un clin d'œil. Il lui faudra encore beaucoup de temps pour arriver jusqu'ici…

– Et encore, il faudrait qu'il ait réussi à convaincre les peuples du Nord de se joindre à la bataille…

– Connaissant Béorf, je n'en doute pas une seconde.

– Est-ce que tu crois aux miracles ? lui demanda Aylol.

– Non, je ne crois pas aux miracles ! Maintenant ferme-la, je dois absolument réfléchir à un moyen pour aider Junos et ses armées.

– D'accord… d'accord, je me tais… C'est dommage, car j'avais peut-être une solution pour toi…

– Vas-y, parle ! Je t'écoute…, lui répondit Lolya. Et j'espère que tu ne me feras pas perdre mon temps…

– Savais-tu que, dans le monde, il existe plusieurs niveaux de conscience ?

– OUI, JE LE SAIS ! se fâcha la jeune nécromancienne. Je n'ai pas envie d'avoir un cours sur les univers parallèles, je veux une bonne idée, là, tout de suite !

– Très bien ! fit la dague. En te servant de moi, tu vas découper une porte qui te mènera auprès de Béorf et de son armée.

– !?…

– Tu as bien compris, lui assura Aylol. Concentre-toi sur Béorf et taille dans le vide un grand rectangle… C'est ainsi que voyagent les démons supérieurs dans les Enfers. Comme eux, tu vas ouvrir un passage entre toi et ton ami…

– Je veux bien essayer… C'est un peu le même principe que la porte des fées, n'est-ce pas ?

– Exactement, lui confirma la dague. À la seule différence que la porte des fées est stable, alors que celle que nous allons créer risque de se briser.

– Et si cela se produit? Et puis, non! Je ne veux pas le savoir, se ravisa Lolya. Le temps presse et je suis prête à prendre le risque.

– Alors, concentre-toi sur ma voix et fais exactement ce que je te dis…

***

DE NOUVELLES RÈGLES

Dans le nord du continent, Béorf attendait impatiemment à Upsgran de pouvoir se mettre en route. Les pigeons voyageurs avaient porté les messages des trois rois vikings ordonnant de toute urgence un rassemblement dans le petit village des béorites. Les drakkars d'Ourm le Serpent rouge avaient été les premiers à arriver, puis les hommes d'Harald aux Dents bleues avaient suivi. On attendait toujours les troupes de Wassali de la Terre verte.

– Mais qu'est-ce qu'ils peuvent bien fabriquer? se demanda Béorf en discutant avec Geser. Il doit bien y avoir dix mille hommes dans le village et nous sommes presque à court de nourriture!

– Et puis, ils sont durs à tenir, renchérit Geser, ils ont envie de se battre ; les escarmouches sont de plus en plus nombreuses. Juste hier, après avoir vidé toutes les bouteilles de la taverne, les soldats d'Ourm et d'Harald ont détruit la moitié du port dans une bagarre générale.

– Nous avons encore un très long voyage devant nous et… et j'ai la certitude que nous arriverons en retard, se découragea le jeune béorite. Rien ne fonctionne comme je l'avais imaginé !

– Tu devrais dormir un peu, Béorf, lui conseilla Geser, ça fait trois nuits que tu n'as pas fermé l'œil. Le soleil se lève et la journée s'annonce difficile…

– Je ne suis pas capable de dormir ! J'angoisse… je pense à Amos… à Barthélémy et… je me vois bloqué ici avec une armée de malappris qui ne pensent qu'à boire et à manger pour tuer le temps ! Je ne veux pas trahir la confiance d'Amos et faillir à ma tâche…

Soudain, une longue plainte de cor retentit dans le village. Il s'agissait des Vikings de Wassali de la Terre verte qui arrivaient enfin pour se joindre à l'armée.

– Me voilà soulagé, soupira le garçon, cela signifie que nous pouvons enfin partir ! Je vais demander à… à…

Tout à coup, Béorf vit la lame d'une dague voler à ses côtés. Elle traça dans les airs un grand rectangle qui fut bientôt inondé d'une vive lumière, puis il entendit une voix familière l'appeler :

– Béééorf ! Tu es là, Béorf ?

Le béorite recula de quelques pas et jeta un coup d'œil anxieux à Geser.

– Je crois que ma derrière heure est venue et que les mondes de l'au-delà…

– Pour ma part, je suis bien content que la voix ne s'adresse qu'à toi…, blagua un peu nerveusement Geser. Regarde, on dirait qu'il y a quelqu'un !

Une silhouette se dessina à travers la porte de lumière. Il s'agissait manifestement d'une jeune fille à la peau noire.

– Lolya ? C'est bien toi ?! s'écria Béorf. Mais… mais par quel prodige ?… C'est un nouveau sort ou…

– Nous avons peu de temps, mon ami, lui fit pour toute réponse la nécromancienne en le serrant dans ses bras. Berrion est dans de sales draps, tu dois vite venir nous aider !

***

LA SURPRISE DU ROI BLANC

La stratégie était claire, les hommes étaient tous à leur poste et les rocs, eux, prêts à s'envoler. Dès le lever du soleil, les oiseaux géants commenceraient par bombarder la ville en larguant les munitions restantes des trébuchets et des catapultes, puis ils iraient massacrer tous les soldats de Junos sur les chemins de ronde des murailles. Pendant ce temps, les chevaliers du roi tenteraient un nouvel assaut par la brèche afin d'envahir Berrion et de capturer le plus rapidement possible Junos. L'attaque devait être simple, efficace et directe. Barthélémy espérait ainsi en finir avant midi et, après avoir tranché la tête d'Amos, prendre définitivement les commandes de la ville.

Comme prévu, les rocs prirent leur envol dès les premiers rayons du jour. Mais voilà qu'au lieu du plan original qui prévoyait un bombardement sans opposition, des jets d'acide provenant de la cité surprirent les oiseaux en vol. Aux points stratégiques de Berrion, trois hydres dévoilèrent leurs nombreuses têtes en crachant de tous les côtés leur substance corrosive. Les rocs abandonnèrent immédiatement leurs projectiles et foncèrent tête baissée sur ces nouveaux adversaires.

– Mais que se passe-t-il encore? se demanda Barthélémy en écumant de rage. Pourquoi n'obéissent-ils pas à mes ordres? FONCEZ! QUE LES HOMMES FONCENT VERS LA BRÈCHE!

Justement, comme les chevaliers du roi allaient s'élancer, Béorf Bromanson sortit seul de la brèche. Il s'avança de quelques pas vers ses ennemis et hurla dans un porte-voix:

– RENDEZ-VOUS! C'EST VOTRE DER-NIÈRE CHANCE DE VOUS RENDRE!

L'armée de Barthélémy eut une réaction de surprise se situant entre le rire et l'incompré-hension. Comment ce garçon pouvait-il leur lancer un ultimatum? Était-il vraiment sérieux?

– VOUS AUREZ ÉTÉ AVERTIS! cria encore Béorf. MAINTENANT, ÇA VA CHAUFFER!

Des cris sauvages de milliers de guerriers en manque d'action retentirent derrière les murs de Berrion. Les armées d'Harald, d'Ourm et de Wassali jaillirent de la brèche et foncèrent sur les chevaliers de Barthélémy. Les hommes du Nord étaient armés de terribles haches de guerre et plusieurs, motivés par l'espoir de mourir dignement au combat, avaient complètement perdu la tête. Au travers des hordes de Vikings, des centaines de béorites sous leur forme animale étaient sur le point d'entrer en rage guerrière...

Hors de lui, Barthélémy ordonna à ses soldats de se lancer dans la bataille, mais, curieusement, tous demeurèrent interdits. Les hommes du Nord étaient si nombreux et animés d'une telle rage que les chevaliers doutèrent encore de la protection de la toison d'or. Le roi dut insister et répéter une deuxième fois son commandement pour que, timidement, quelques-uns de ses bataillons commencent à avancer.

– VOUS ÊTES IMMORTELS, BANDES DE CRÉTINS! tonna le roi qui n'en croyait pas ses yeux. FONCEZ! EN AVANT, OU C'EST MOI QUI VOUS ÉTRANGLE DE MES DEUX MAINS! EN AVANT, J'AI DIT!!!

– EN AVANT! reprirent enfin les chevaliers. POUR LE ROI! POUR LE BIEN ET POUR LA CROISADE!

***

FACE À FACE

– Seigneur Junos, dit l'un de ses chevaliers vétérans en accourant, nos forces tiennent bon! Nous maîtrisons la situation!

En effet, les troupes de Barthélémy étaient incapables d'avancer. Devant la brèche du mur sud se tenaient les soixante-six démons qui formaient une défense infranchissable. Commandés par Yaune, ils repoussaient violemment leurs adversaires en bloquant l'accès à la ville. En formation serrée, les chevaliers des Enfers jouissaient du même pouvoir d'immortalité que leurs rivaux, mais ils étaient nettement avantagés par leurs talents au combat. Chacun des démons possédait une force de géant et une dextérité dix fois supérieure à celle des humains. Leurs coups d'épée étaient toujours précis et, contrairement aux hommes, le combat ne les fatiguait pas. C'est toujours avec la même fougue qu'ils lançaient leurs attaques, paraient les coups ou transperçaient leurs ennemis.

Le découragement commençait à poindre du côté des chevaliers de Barthélémy. Malgré la protection de la toison d'or, ils avaient de plus en plus de mal à récupérer. Leurs blessures prenaient plus de temps à se refermer et la fatigue commençait à peser sur les corps endoloris. Beaucoup de Vikings avaient mordu la poussière, mais les hommes du Nord avaient trouvé une façon habile de se relayer sur la ligne de front. Les colosses attaquaient par vagues successives et en profitaient pour se reposer entre deux assauts. Alors que les soldats du roi portaient de lourdes armures de plates et des armes souvent difficiles à manœuvrer, les Vikings étaient vêtus de cuir et maniaient leur hache d'une seule main. Ils étaient rapides, agiles, enragés et ne craignaient pas la mort. Selon leurs croyances, seuls les guerriers qui mouraient au combat pouvaient être admis dans la résidence d'Odin afin de participer au banquet des dieux. Pour eux, cette guerre était donc une façon directe d'entrer avec honneur dans la vie éternelle.

– Et les hydres, demanda Junos, tiennent-elles le coup?

– Oui, seigneur! répondit le chevalier. Elles prennent lentement le dessus sur les rocs qui sont de plus en plus déplumés à cause de l'acide. Les grands oiseaux se fatiguent plus rapidement que nous ne le pensions!

– Bravo! s'exclama Junos. Voilà qui me donne espoir…

– Sommes-nous prêts à passer au plan de Béorf Bromanson afin que nos troupes soufflent un peu?

– Je crois que les hommes peuvent encore combattre quelques heures! Les chevaliers noirs ne céderont pas de sitôt devant la faille du mur sud et, d'après les icariens qui patrouillent dans le ciel, aucune attaque n'a été lancée sur la façade nord. Notre position est plus que confortable pour l'instant… Et puis, conclut Junos, Béorf nous dira bien quand il jugera bon de se servir de sa lance. Vous féliciterez votre section! Excellent boulot jusqu'à maintenant!

– Nous tiendrons, seigneur Junos! assura le chevalier vétéran. Contre vents et marées, Berrion tiendra!

**

UNE PAUSE POUR LES NOIRS

Les trompettes de la ville entonnèrent une petite mélodie aux staccatos distinctifs. Immédiatement, les Vikings abandonnèrent le combat pour aller s'y réfugier. Les chevaliers de Barthélémy les regardèrent s'éloigner sans que quiconque ait l'idée ou l'envie de les poursuivre. Au contraire, tous furent soulagés de l'arrêt des hostilités. En sang et couverts de sueur, plusieurs remercièrent même les dieux pour cette pause inespérée.

Une fois les Vikings à l'intérieur des murs, les démons se resserrèrent encore pour former une barrière devant la faille du rempart sud. Les hydres se recroquevillèrent en protégeant chacune de leurs têtes sous leurs pattes avant. Surpris par cette étrange attitude, plusieurs rocs fuirent vers les montagnes. Ceux-là ne revinrent jamais terminer la bataille.

C'est alors que Béorf, armé de Gungnir, avança sur le champ de bataille.

– Je veux parler à Barthélémy! cria-t-il, sûr de lui.

Répondant à l'invitation, le roi monta sur son cheval et alla à sa rencontre. Ils se retrouvèrent à mi-chemin entre Berrion et le camp des chevaliers du royaume des quatorze.

– Tu as survécu, toi aussi, à l'enchantement de la flûte du roi des faunes, petit morveux! lança impétueusement Barthélémy. Sais-tu ce qui se passe en ce moment dans ton dos, jeune conquérant?

– Mais non, répondit Béorf d'un ton amusé, dites-le-moi, Barthélémy! Je suis curieux de le savoir!

– Un joueur de flûte est dans Berrion et tes armées doivent toutes dormir à l'heure actuelle! fit le roi en ricanant. Je t'ai possédé, encore une fois!

– Oh! non! s'exclama Béorf en feignant la panique. OH! NON! JE ME SUIS FAIT POSSÉDER PAR LE GRAND BARTHÉLÉMY!

– Tu te moques de moi, vermine!

– Vous voulez peut-être parler de cette flûte-là? demanda Béorf en retirant l'instrument de sa ceinture. Comme vous pouvez le voir, elle est cassée en deux ! Votre musicien l'a accidentellement brisée au cours de la bataille et il a eu si peur de votre réaction qu'il a déserté votre camp pour jurer allégeance à Junos. Il se bat maintenant de notre côté…

– Je lui ferai payer cher cette traîtrise lorsque nous prendrons la ville ! ragea le roi.

– Vous ne prendrez jamais Berrion, le reprit le béorite. D'ailleurs, je voulais vous voir pour vous ordonner de cesser immédiatement le combat. Cette farce a assez duré et votre défaite est imminente ! Partez tout de suite dans l'honneur ou vous subirez encore plus gravement les conséquences de vos actes…

– Tu me fais rire ! persifla le roi en dégainant son épée. Mes hommes et moi soumettrons bientôt Berrion et cette discussion me fait perdre du temps ! Tu vas mourir, jeune béorite… Prépare-toi à rejoindre tes ancêtres !

Béorf planta alors Gungnir dans le sol, juste devant lui.

– Le ciel vous tombera sur la tête, Barthélémy !

Puis un éclair d'une incroyable force déchira le ciel et s'abattit sur le roi.

***

ÉCHEC AU ROI BLANC

Depuis bientôt une heure, Lolya et Médousa, à l'instar de tous, regardaient le spectacle des éclairs qui s'abattaient à répétition sur les hommes de Barthélémy. Les deux filles avaient parfaitement respecté la consigne que Béorf avait donnée à tous les occupants de Berrion : personne ne devait bouger avant la deuxième sonnerie des trompettes. L'une à côté de l'autre, elles savouraient ce moment de détente bien mérité.

Pour éviter une catastrophe sur Berrion, le béorite avait aussi demandé aux habitants de ne pas sortir de leurs maisons et avait ordonné aux Vikings de se réfugier dans le donjon. Comme la foudre frappait indistinctement tout ce qui était en mouvement dans un certain rayon autour d'elle, il valait mieux vider les rues et s'assurer que tout le monde se retrouve sous un toit.

– Tu as vu celui-là ? murmura Médousa à son amie. Ça, c'est ce que j'appelle un coup de foudre !

– Les chevaliers de Barthélémy n'ont pas encore compris qu'ils ne doivent pas bouger, lui fit remarquer Lolya. Le grand gaillard qui se relève, là, près du gros chêne, en est à sa huitième décharge. Il semble totalement épuisé… regarde-le marcher…

Le ciel se déchira de nouveau et l'homme fut encore foudroyé de plein fouet. Cette fois, le choc fut si fort qu'il fit trois tours dans les airs avant de heurter violemment le sol.

– Et de neuf! s'exclama Médousa en levant les bras au ciel, trop enthousiaste qu'elle était par leur victoire prochaine.

– Ne remue pas…, lui rappela vite Lolya. Je n'ai pas envie que tu sois grillée par un éclair. Les chevaliers de Barthélémy se relèvent parce qu'ils sont protégés par la toison d'or, mais pas toi.

– C'est vrai… j'oubliais…

– Si en plus Béorf apprenait que nous sommes ici, continua Lolya, il nous ferait passer un mauvais quart d'heure.

– C'est difficile de résister à un spectacle aussi… foudroyant, n'est-ce pas?

– En effet, et c'est bien pour cela que nous sommes là, fit la nécromancienne en riant. Au fait, je voulais te dire que… qu'il me l'a dit…

– Il te l'a dit? répéta la gorgone d'un ton inquisiteur.

– Je lui ai dit: « Je t'aime » et il m'a répondu: « Moi aussi! »

– Non! Je n'arrive pas à le croire! s'étonna Médousa en se rappelant de ne pas bouger. Tu as réussi à te tailler une place dans le cœur d'Amos… Eh bien, bravo! Je n'aurais pas cru la chose possible…

– Moi non plus, car il a été affecté par sa rencontre avec Aélig et j'ai senti qu'il ne faisait plus beaucoup confiance aux filles…

– Allez, raconte-moi en détail, je veux tout savoir!

Les éclairs continuaient à fuser les uns après les autres, mais la furie du ciel n'avait plus beaucoup d'importance pour les filles. Elles avaient oublié la guerre, les combats et les stratégies pour discuter d'un sujet beaucoup plus passionnant: l'amour.

***

PROTÉGER LE JEU ET ATTENDRE

Autour d'une grande table du réfectoire du château étaient assis Béorf, Junos et les chevaliers vétérans de Berrion. Ils attendaient tous Médousa et Lolya depuis un bon moment, mais les deux amies, trop prises par leur discussion, avaient oublié la réunion.

– Et si on commençait? proposa Junos, impatient.

– Je suis d'accord, approuva Béorf. Je ferai un rapport détaillé de notre réunion aux filles. J'espère seulement qu'il ne leur est rien arrivé de fâcheux.

— Elles ont dû être retardées, répondit Junos. Alors, comment envisageons-nous la suite de notre défense ? Des idées ?

— Voilà ! Nous sommes en bonne position pour résister à de nombreuses attaques encore, dit un chevalier. Nos hommes se reposent, alors que nos ennemis sont complètement exténués.

— Par contre, nous avons essuyé d'énormes pertes, ajouta un de ses collègues. Beaucoup de Vikings sont morts au combat, alors que Barthélémy possède encore tous ses hommes !

— Mais ils sont tellement fatigués qu'aucun n'arrivera plus à manier adéquatement son épée, précisa Béorf. Nous devons les maintenir dans un état d'épuisement constant en faisant alterner les attaques de nos armées avec la puissance de Gungnir…

— Et ainsi, continua Junos, les maintenir loin des murs de Berrion.

— Mais combien de temps encore ? demanda le plus sage des chevaliers. De notre côté, nous ne pourrons pas jouer encore longtemps à ce petit jeu ! Il nous faut trouver un moyen de les vaincre définitivement ! Supposons qu'ils se retirent, par exemple, à Bratel-la-Grande pour reprendre des forces et pour revenir encore plus solidement armés ? Nous serions dans de beaux draps !

— C'est Amos qui possède la réponse à votre question, soupira Béorf. Et il est parti vers le nord sans rien nous dire !

— A-t-il vraiment la solution ? lança le chevalier. Je ne vois franchement pas comment il pourrait les soumettre ! Et franchement…

— Je connais bien Amos, l'interrompit Junos, et croyez bien que s'il n'a rien voulu nous dire, c'est pour ne pas nous donner de faux espoirs.

— Je ne sais pas non plus à quoi m'attendre, reprit Béorf, mais Amos a toute ma confiance et je suis certain qu'il nous surprendra. Dans ses yeux, j'ai vu l'éclair caractéristique d'une idée de génie ! Ce signe ne ment jamais…

— Alors, nous devons tenir la ville et attendre le retour d'Amos, conclut un autre chevalier. Cette solution me satisfait…

Il y eut un assentiment général autour de la table.

— Continuons à fatiguer nos ennemis par des vagues successives d'attaques bien coordonnées et nous triompherons ! déclara Junos en se versant une chope de bière. Portons un toast à Amos, en espérant qu'il nous revienne vite !

— SANTÉ ! firent les chevaliers en trinquant.

– ET QUE LES MEILLEURS GAGNENT!
s'exclama Béorf en rigolant.

7
Préparation pour le coup final

Amos, Maelström et les icariens volaient en direction de Ramusberget avec la ferme intention d'y rencontrer le dragon maudit. Le garçon avait demandé aux archers de la cité de Pégase d'emporter avec eux le trésor de son ami afin de proposer un marché à la bête de feu qui hantait le nord du continent.

– Ne fais pas la gueule, Maelström, dit Amos après lui avoir exposé son plan. C'est même une merveilleuse idée qui te fera gagner un frère !

– Mais qui me fera perdre mon trésor, grommela la bête.

– Il faut que tu voies les choses du bon côté… Tu sais que c'est une excellente façon de nous débarrasser de Barthélémy.

– Ton idée n'est pas mauvaise, petit frère, grogna Maelström, mais j'aurais préféré qu'elle n'inclue pas mes biens.

– J'ai compris! lança Amos. Dans ce cas, retournons à Berrion et je trouverai une autre solution pour terminer cette guerre au plus vite... Il y aura un autre moyen de régler le problème!

Il y eut un silence entre les deux amis.

– Ça va, gardons cette solution! se résigna le dragon non sans difficulté. Ce que tu me demandes là est un acte impensable pour quelqu'un de ma race, mais je m'y ferai...

– Je comprends et t'en suis reconnaissant. Je sais qu'il te sera difficile de te séparer de ton premier trésor, mais c'est l'équilibre du monde qui en dépend.

– Ouais..., fit la bête de feu, maussade.

– Regarde! La grande montagne est droit devant... J'aimerais que nous atterrissions près de la grotte où Lolya a aperçu le dragon. Les icariens et toi, vous resterez à l'écart pendant que j'irai négocier avec lui.

– J'ai peur qu'il te déchire en pièces, s'inquiéta Maelström. La dernière fois que je l'ai vu, il ne semblait vraiment pas très commode.

– J'ai apporté un grand morceau de tissu orange qui vient d'une des tuniques de Sartigan. Comme les dragons ne peuvent pas voir cette couleur, je pourrai vite m'en recouvrir et disparaître! Espérons que j'arriverai à parler un peu avec lui ; toute ma stratégie pour Berrion en dépend.

Arrivé à destination, Maelström décrivit une grande boucle au-dessus de la montagne, puis se posa devant l'entrée de la grotte.

– C'est ici, dit-il. C'est par là que Lolya est entrée...

– Bien, répondit Amos. Attendez mon signal avant de me rejoindre.

– Et s'il te mange avant que tu puisses nous donner le signal, que doit-on faire ? demanda Maelström.

– Tu improviseras ! blagua le garçon. Cela ne me concernera plus, puisque je serai mort !

– Pff ! très drôle..., soupira le dragon. Si tu ne reviens pas, je reprends mon trésor et je fiche le camp !

– Tu feras ce que tu voudras ! lança Amos en souriant.

Le porteur de masques emprunta le même chemin qu'avait déjà foulé son amie Lolya. Comme elle, il avança à tâtons en se laissant guider par la faible lumière au bout du tunnel. Il remarqua les nombreux coups de griffe qui avaient taillé cette ouverture vers la liberté.

Juste avant d'atteindre le bout du tunnel, Amos prit soin de se couvrir du tissu orangé de Sartigan et aussi, par mesure de précaution, il enfila les oreilles de cristal que Gwenfadrille lui avait offertes. Après tout, il ignorait quelle langue la créature pouvait parler. Dès qu'elles furent en place, le garçon comprit que le dragon ne savait pas parler, mais qu'il communiquait uniquement par l'émotion. Il capta immédiatement un puissant sentiment de solitude, si fort qu'il faillit verser des larmes. Amos revécut d'un coup l'abandon qu'il avait ressenti dans les Enfers et comprit dans quelle souffrance vivait cette bête. Les images de son voyage commencèrent à défiler devant ses yeux, si bien qu'il en oublia où il se trouvait et ce qu'il avait à faire.

Couché au centre de son trésor, le dragon de Ramusberget leva la tête et regarda tout autour de lui. Il sentait une présence mais, cette fois, différente des autres. Chaque fois que la créature croisait un autre être vivant, elle ne percevait de lui qu'un sentiment de terreur. Ce qu'elle captait aujourd'hui était une émotion parallèle à la sienne, comme si elle entendait une même note de musique, mais jouée simultanément sur deux octaves.

Aussitôt, la bête se dressa sur ses pattes et commença à renifler dans la direction du tunnel. Elle perçut une odeur très semblable à la sienne, ce qui l'encouragea à se diriger vers la lumière. Le dragon passa juste à côté d'Amos sans détecter sa présence, puis, toujours entraîné par sa curiosité, il continua sa montée jusqu'à la sortie de la grotte. Fébrilement, il regarda à l'extérieur. Ses yeux croisèrent tout de suite ceux de Maelström.

À la vue de cette deuxième bête de feu, les icariens reculèrent de plusieurs pas en abandonnant discrètement les deux créatures.

Le dragon captait à travers les yeux de son frère toute la tendresse et tout le bonheur qui émanaient de lui. Comme le lui avait conseillé Amos, Maelström n'attendit pas le signal convenu et improvisa en caressant du bout du nez les oreilles de son semblable. Tout de suite, il remarqua une longue plaie infectée qui semblait avoir du mal à guérir. Il s'agissait de la blessure que lui avait infligée Gungnir au moment où Béorf avait fui la chaumière dans les bois.

Toujours caché sous le tissu orangé, Amos arriva par-derrière et réussit à se faufiler à l'extérieur de la grotte. Il était remis des émotions négatives qu'il venait de ressentir et captait maintenant un incroyable sentiment d'affection de la part des deux bêtes.

« Décidément, pensa-t-il, mon plan ne fonctionne pas comme prévu ! Moi qui voulais expliquer à ce dragon les enjeux de notre guerre pour gagner sa confiance et lui proposer d'échanger nos trésors, je vois bien que je n'y étais pas du tout ! »

Les dragons s'observèrent encore pendant quelques minutes avant que Maelström, d'un petit mouvement de tête, n'invite son frère à le suivre. Ils déployèrent leurs ailes et s'envolèrent.

« C'est le moment d'agir », pensa Amos en les regardant s'éloigner.

Rapidement, il retira le tissu qui le couvrait et rassembla les icariens autour de lui.

– Nous avons très peu de temps devant nous, leur expliqua-t-il. Ce que nous allons faire est très dangereux et vous devez donc être très prudents. Je veux que nous remplacions le trésor de Maelström par celui qui est à l'intérieur de la grotte. Je vous avertis, chacune des pièces d'or qui se trouvent au centre de la montagne est maudite. En aucun cas, vous ne devrez toucher ce trésor…

– Mais comment allons-nous réussir à le mettre dans nos sacs ? demanda un homm-oiseau.

– Vous allez déchirer vos maillots de corps et vous bander les mains avec le tissu, comme des moufles, répondit Amos. Je suis très sérieux, rappelez-vous que c'est une question de vie ou de mort. Soyez très prudents!

Les icariens se protégèrent les mains et suivirent le garçon dans la grotte. Assez rapidement, ils déchargèrent dans un coin le trésor de Maelström, puis commencèrent à transporter l'autre. Amos alla se poster à l'entrée de la grotte pour surveiller le retour des deux dragons. Toutefois, Maelström connaissait bien son rôle dans le plan du porteur de masques. Il savait que les hommoiseaux auraient besoin d'un certain temps pour échanger les deux trésors. Aussi, il vola loin, très loin de la montagne en compagnie de son frère.

Pendant ce temps, les uns après les autres, les icariens commençaient chacun à sortir de la grotte une partie du butin maudit.

– Envolez-vous tout de suite vers Berrion, dit Amos à ceux qui émergèrent les premiers du tunnel. Vous déchargerez vos sacs sur la place publique! Demandez ensuite à Junos l'évacuation complète de la ville. Je veux que tout le monde se rende au bois de Tarkasis et attende mon arrivée. Soyez assurés que je mettrai fin à cette guerre, mais la ville devra absolument être vide!

– Très bien! fit le premier icarien de la file avant de décoller. Je transmettrai le message!

– À plus tard !

C'est ainsi que, petit à petit, le trésor maudit de Ramusberget prit le chemin de Berrion. Lorsque le dernier archer de la cité de Pégase quitta la grotte, il restait encore des milliers de pièces maudites dans un gros coffre beaucoup trop lourd pour être porté par un hommoiseau. Amos réussit de peine et de misère à le tirer à l'extérieur et le laissa à l'entrée du tunnel en prenant bien soin de le couvrir de son tissu orangé. Il retourna ensuite dans l'antre du dragon pour disposer correctement le nouveau trésor. Il en profita pour nettoyer l'endroit en calcinant les restes de charogne, d'os et autres cadavres d'animaux qui infectaient les lieux, puis aéra la caverne à l'aide d'une bonne bourrasque. En utilisant ses pouvoirs sur l'eau, il stabilisa le niveau d'humidité afin que les parois rocheuses s'assèchent et que la moisissure finisse par disparaître. Une fois son ménage terminé, Amos entendit le battement d'ailes caractéristique de Maelström et il se précipita à l'extérieur de la grotte. Il eut tout juste le temps de se glisser sous le tissu orangé couvrant le coffre lorsque les deux dragons se posèrent à flanc de montagne.

D'un signe de tête, la bête de Ramusberget invita Maelström dans son repaire, mais celui-ci refusa. Il se contenta de lui sourire et recula de quelques pas.

Lorsqu'il emprunta le tunnel de sa demeure, le dragon remarqua tout de suite un changement. L'air avait une légèreté qui contrastait nettement avec l'ancienne odeur des carcasses d'animaux. Dans son esprit, la bête fit immédiatement un lien avec Maelström. Un parfum moins violent, subtil même, renvoyait les images de son nouvel ami.

Mais le grand choc se produisit lorsque la créature aperçut son trésor. Sa montagne de richesse s'était métamorphosée et purifiée de ses vibrations négatives. Alors qu'auparavant les pièces et les objets irradiaient une aura d'impureté et de haine, elles invitaient maintenant à la douceur, au respect et à l'admiration. C'est grâce à ces trois sentiments que le trésor avait été constitué à la cité de Pégase pour la déesse Médousa et il continuait à émettre ces ondes positives.

Sans hésiter, le dragon de Ramusberget s'installa sur sa couche et ferma les yeux. Pour la première fois de sa jeune existence, la bête de feu dormit d'un long sommeil réparateur et fit de merveilleux rêves. Le nouveau trésor la libéra d'une grande partie de sa haine et contribua à lui donner un peu de douceur.

Son sentiment de solitude s'éclipsa aussi, car le dragon savait qu'il n'était plus seul au monde. Son ami était là, quelque part.

– Alors, demanda Amos en grimpant sur Maelström, comment s'est déroulée votre première rencontre ?

– Très bien, je pense… Comme il ne sait pas encore parler, nous avons volé côte à côte, en silence.

– C'est tout ?

– Mais non ! Nous avons repéré quelques sangliers que nous avons partagés. Ce fut un beau moment…

– Tu m'en vois heureux… Maintenant, sans vouloir te brusquer, crois-tu pouvoir porter ce coffre jusqu'à Berrion ? Il contient les dernières pièces maudites du trésor…

– Oui, bien sûr.

– Nous devons descendre vers le sud, nos amis nous attendent !

– Mais…, hésita Maelström, mon trésor est… il est bien dans la grotte ? Tu crois que je pourrai le récupérer un jour ?

– Franchement non, répondit Amos. Tu dois en faire ton deuil et te dire que c'est mieux pour toi, pour ton frère et pour le bien de notre monde. Ton sacrifice est un acte noble qui aura des répercussions positives sur des milliers d'êtres vivants.

— Je sais… je sais, mais c'est dur de me séparer de… de… enfin, tu comprends?

— Oui, je comprends… Mais il faut partir maintenant! Je te promets qu'un jour, nous te trouverons un autre trésor, et aussi beau!

8
Échec et mat

La foudre avait enfin cessé ses attaques et les troupes de Berrion étaient restées dans la ville. Brisés de fatigue et de douleur, les chevaliers de Barthélémy osaient à peine bouger de peur qu'un éclair ne les frappe encore. Gungnir avait de nouveau disparu du champ de bataille, mais, cette fois, aucune vague de Vikings en furie n'avait pris la relève. Même le roi, en sueur de la tête aux pieds et couvert du sang de ses ennemis, parut surpris de cet arrêt soudain des hostilités. Sur le qui-vive, ses chevaliers se regroupèrent péniblement autour de lui. De la gigantesque armée de Barthélémy, il ne restait que quelques milliers de soldats ; les autres avaient fui, considérant que la croisade n'en valait plus la peine. Alors que le souverain leur avait promis des victoires faciles, la dure réalité des combats avait ouvert les yeux de plusieurs. La forte influence de la toison d'or n'avait pas réussi à les convaincre du bien-fondé de cette guerre. La force ne donne aucun droit, mais elle commande des devoirs, aurait sûrement dit Sartigan à ces déserteurs.

– Que faisons-nous, ô majesté? demanda timidement un chevalier dont l'armure était à moitié arrachée. Il semble que nous ayons la voie libre!

– C'est ce que tu crois, toi? lui répondit avec rudesse le roi. Eh bien, va donc voir! Je te nomme éclaireur…

Sans enthousiasme, le chevalier se dirigea vers la ville en soupirant. Le pauvre homme marchait lentement vers son destin avec la certitude qu'il se ferait prendre dans un piège. Il regrettait d'avoir ouvert la bouche et se jura de retenir sa langue la prochaine fois qu'il aurait une question à poser. S'il demeurait en vie…

L'éclaireur ne chercha même pas à se cacher, tellement il était à bout. Ses muscles étaient mous et son moral, à zéro. Il se traîna jusqu'aux remparts de Berrion et remarqua que la grande porte était ouverte.

– Il y a quelqu'un? cria-t-il faiblement. Holà! ohé! y a quelqu'un?

Seul un chien lui répondit par son aboiement lointain.

«Comme je n'ai aucune réponse, pensa-t-il, j'entre!»

Ce qu'il fit sans que personne ne l'en empêche.

«Mais où est passé tout le monde? se demanda-t-il. Il devrait pourtant y avoir une armée ici!?»

L'éclaireur se promena librement dans Berrion. La ville était complètement déserte. Comme il allait rebrousser chemin pour en avertir le roi, son regard fut attiré par des objets qui scintillaient sur la place publique.

– Je n'arrive pas à le croire! s'écria-t-il en se dirigeant vers une montagne de pièces d'or. C'est... c'est un trésor!!!

Le chevalier se mit à rire à gorge déployée et plongea dans les pièces.

– ILS SONT PARTIS! ILS ONT QUITTÉ LA VILLE! hurla-t-il en se roulant dans l'or. Ils nous ont laissé toutes leurs richesses en guise de cadeau d'adieu! Me voilà riche! Je suis richissime! Je vais m'en mettre plein les poches avant que mes confrères arrivent...

Après avoir enterré une grande cassette remplie de pièces tout près d'un arbre de la grande place, le chevalier retourna vers son armée.

– Alors? lui demanda Barthélémy, surpris de le voir revenir vivant de cette mission. Que se passe-t-il là-bas?

– Ô mon roi, répondit l'éclaireur, j'apporte d'excellentes nouvelles! La ville est vide…

– Pardon? fit le souverain, incrédule.

– Berrion est vide comme un désert répéta le chevalier, le sourire aux lèvres. Ils nous ont même laissé un cadeau de départ! Un gigantesque trésor se trouve au centre de la ville… Allez voir par vous-même!

L'homme tendit à son roi une poignée de pièces que celui-ci s'empressa de saisir.

La nouvelle se répandit comme une traînée de poudre et les chevaliers se mirent à courir vers la ville. Subjugués par l'espoir de posséder un bout de ce trésor, tous désobéirent à l'ordre de Barthélémy de former des rangs. Ils investirent la ville comme des rats affamés en quête de nourriture. La seule évocation du mot «trésor» leur fit perdre toute forme de jugement, et c'est tête baissée que l'armée se lança dans le piège qu'Amos lui avait tendu.

– Nous sommes riches! Nous sommes riches! exultèrent les soldats en se disputant les éléments du butin.

– Avec ça, cria l'un d'eux, je m'achèterai une ferme dans les montagnes et à moi la belle vie!

— Moi, je me paierai une auberge au bord de la mer! assura un autre.

— Pour ma part, lança un troisième, ce sera un vignoble dans le centre du pays!

— ET QUELLE PART RÉSERVEZ-VOUS DONC À VOTRE ROI? vociféra Barthélémy qui les avait rejoints. CE TRÉSOR APPARTIENT À LA TRÉSORERIE DES ROYAUMES QUE JE REPRÉSENTE ET IL SERVIRA À FINANCER NOTRE CROISADE CONTRE LE MAL!!! RENDEZ IMMÉDIATEMENT CHACUNE DES PIÈCES QUE VOUS AVEZ PRISES…

Les chevaliers se consultèrent du regard.

— Cette guerre, déclara l'un d'eux, c'est nous qui l'avons faite! Il y a là assez d'argent pour que nous en bénéficiions tous!

— Nous avons conquis Berrion nous-mêmes et ces richesses nous appartiennent, l'appuya un autre. Vous devez comprendre que…

— Ce que je comprends, le coupa Barthélémy, c'est que vous discutez mes ordres! Je n'accepte pas que l'on mette en doute mon autorité. Remettez immédiatement les pièces à leur place et je vous pardonnerai cette légère insubordination. Je comprends que vous soyez fatigués et que ceci nuise à votre bon jugement. EXÉCUTION, TOUS!

C'est alors que le chevalier qui avait trouvé le trésor eut un malaise et poussa un effroyable cri de douleur. Puis il vomit une grande quantité de sang visqueux et noir.

– Qu'on le soigne! ordonna le roi sans autre émotion.

– Tu voulais la toison d'or, Barthélémy? lança soudainement Amos, perché sur le toit d'une maison. Eh bien, te voilà condamné à la porter le reste de tes jours!

– Petit vaurien! Descends ici que je te règle ton compte!

– Voilà ce qui vous attend! cria le garçon à ses ennemis. Ce trésor maudit vient à l'instant de vous inoculer une terrible maladie. Bientôt, vos entrailles se dessécheront et votre sang deviendra acide. Des plaques noires et de gros furoncles vous couvriront le corps, puis s'ensuivront des crises de délire, des vomissements et la perte complète de votre motricité. Votre peau se desquamera dans de terribles souffrances. La guerre est terminée… Vous l'avez perdue! Échec et mat!

– Quelle jolie performance! s'exclama le roi en pouffant. Tu oublies que la toison d'or nous rend immortels!

– Et c'est là tout votre problème, continua Amos. Comme vous ne pouvez pas mourir, vous allez souffrir jusqu'au jour où quelqu'un se décidera à vous l'arracher, ô grand roi !

Tel que l'avait annoncé le porteur de masques, et à l'image de leur confrère, plusieurs chevaliers commencèrent à vomir du sang et à se plaindre de maux de ventre.

– La malédiction agit…, dit Amos. Il vous reste deux choix : souffrir éternellement ou décider immédiatement d'en finir ! La décision vous appartient, adieu !

***

Lorsque Amos retourna à Berrion, il trouva tous les chevaliers de Barthélémy morts. Le roi lui-même gisait à côté de ses hommes avec, tout près de lui, la toison d'or suspendue à une branche d'arbre. La guerre était terminée et les perdants avaient choisi de mourir dignement plutôt que d'étirer leurs souffrances.

Amos s'empara de la toison et la tendit à Maelström.

– Apporte-la à Ramusberget et fais-en cadeau à ton frère, lui suggéra-t-il. Il faut que cet objet soit sous bonne garde afin que des catastrophes comme celle-ci ne se reproduisent plus. Tant qu'il y aura des humains assez stupides pour se laisser aveugler par l'or, le pouvoir et les dieux, l'équilibre du monde sera menacé.

– Je pars maintenant, petit frère…

Lexique mythologique

Roc: Cet oiseau extraordinaire est issu du folklore arabe et se retrouve dans les contes des *Mille et une nuits*. Il s'agit d'un aigle de taille gigantesque dont les pattes sont semblables à des troncs d'arbres. Ces créatures s'amusent à larguer d'énormes rochers sur les navires qu'elles croisent. L'histoire de Sindbad le Marin accorde à cette bête une intelligence relativement élevée pour un animal.

Nº 1 AU QUÉBEC !

500 000 exemplaires vendus !

LEONIS

LA SÉRIE QUI VOUS PLONGE DANS L'UNIVERS FASCINANT DE L'ÉGYPTE ANCIENNE

APRÈS

ET LEONIS

VOICI

MEMBRE DU GROUPE SCABRINI

Québec, Canada
2006